U0364944
1580242618

中华人民共和国国家标准

细水雾灭火系统技术规范

Technical code for water mist fire extinguishing system

GB 50898-2013

主编部门：中 华 人 民 共 和 国 公 安 部
批准部门：中华人民共和国住房和城乡建设部
施行日期：2 0 1 3 年 1 2 月 1 日

中国计划出版社

2013 北 京

中华人民共和国国家标准

细水雾灭火系统技术规范

GB 50898 - 2013

☆

中国计划出版社出版发行

网址：www. jhpress. com

地址：北京市西城区木樨地北里甲 11 号国宏大厦 C 座 3 层

邮政编码：100038　电话：(010) 63906433（发行部）

北京市科星印刷有限责任公司印刷

850mm×1168mm　1/32　4 印张　99 千字

2015 年 6 月第 1 版　2021 年 4 月第 8 次印刷

☆

统一书号：1580242・618

定价：24.00 元

中华人民共和国住房和城乡建设部公告

第54号

住房城乡建设部关于发布国家标准《细水雾灭火系统技术规范》的公告

现批准《细水雾灭火系统技术规范》为国家标准，编号为GB 50898—2013，自2013年12月1日起实施。其中，第3.3.10、3.3.13、3.4.9（1、2、3）、3.5.1、3.5.10条（款）为强制性条文，必须严格执行。

本规范由我部标准定额研究所组织中国计划出版社出版发行。

中华人民共和国住房和城乡建设部

2013年6月8日

前　　言

本规范是根据原建设部《关于印发〈2007 年工程建设标准规范制订、修订计划(第一批)〉的通知》(建标〔2007〕125 号)的要求，由公安部天津消防研究所会同有关单位共同编制完成。

本规范在编制过程中，编制组遵照国家有关基本建设的方针和“预防为主、防消结合”的消防工作方针，在总结我国细水雾灭火系统的研究成果、设计、施工、验收和使用现状及工程应用经验的基础上，广泛征求了有关设计、施工、制造、研究、教学、消防监督等方面的意见，同时研究和消化吸收了国外有关规范标准，最后经审查定稿。

本规范共分 6 章和 7 个附录，其主要内容有：总则、术语和符号、设计、施工、验收和维护管理等。

本规范中以黑体字标志的条文为强制性条文，必须严格执行。

本规范由住房城乡建设部负责管理和对强制性条文的解释，公安部负责日常管理工作，公安部天津消防研究所负责具体技术内容的解释。请各单位在执行本规范过程中，注意总结经验、积累资料，并及时把意见和有关资料径寄公安部天津消防研究所(地址：天津市南开区卫津南路 110 号，邮政编码：300381)，以供今后修订时参考。

本规范主编单位、参编单位、主要起草人和主要审查人：

主 编 单 位：公安部天津消防研究所

参 编 单 位：中国人民解放军总装备部工程设计研究总院
北京市公安消防总队
天津市公安消防总队
上海市公安消防总队

广东省广州市公安消防支队
公安部上海消防研究所
中国科学技术大学火灾科学国家重点实验室
南京消防器材股份有限公司
首安工业消防有限公司
同泰防灾科技股份有限公司
广东胜捷消防科技有限公司
河南海力特机电制造有限公司
雾特灭火系统有限责任两合公司
四川威龙消防设备有限公司
北京利华消防工程公司
北京中科三正电气有限公司

主要起草人： 田　亮　马　恒　倪照鹏　郝爱玲　刘　志
李宝利　李　毅　李庆功　周敏莉　黄振兴
刘　敏　洪声隆　朱　江　陈　池　姚效刚
方桂芳　伍建许　许智远　丛北华　李冰茹
雷军汇　刘庭全　胡　明　李　伟　王喜世
黄　琦　廖光煊　孙青格

主要审查人： 沈友弟　张学魁　周　详　宋晓勇　赵克伟
杨　琦　王　峰　刘西宝

目　　次

Contents

1 总　　则

1.0.1 为合理设计细水雾灭火系统，保证其施工质量，规范其验收和维护管理，减少火灾危害，保护人身和财产安全，制定本规范。

1.0.2 本规范适用于建设工程中设置的细水雾灭火系统的设计、施工、验收及维护管理。

1.0.3 细水雾灭火系统适用于扑救相对封闭空间内的可燃固体表面火灾、可燃液体火灾和带电设备的火灾。

细水雾灭火系统不适用于扑救下列火灾：

1 可燃固体的深位火灾；

2 能与水发生剧烈反应或产生大量有害物质的活泼金属及其化合物的火灾；

3 可燃气体火灾。

1.0.4 细水雾灭火系统的设计，应密切结合保护对象的功能和火灾特点，采用有效的技术措施，做到安全可靠、技术先进、经济合理。

1.0.5 细水雾灭火系统的设计、施工、验收及维护管理，除应符合本规范外，尚应符合国家现行有关标准的规定。

2 术语和符号

2.1 术　　语

2.1.1 细水雾　water mist

水在最小设计工作压力下，经喷头喷出并在喷头轴线下方1.0m处的平面上形成的直径$D_{v0.50}$小于200μm，$D_{v0.99}$小于400μm的水雾滴。

2.1.2 细水雾灭火系统　water mist fire extinguishing system

由供水装置、过滤装置、控制阀、细水雾喷头等组件和供水管道组成，能自动和人工启动并喷放细水雾进行灭火或控火的固定灭火系统。简称系统。

2.1.3 防护区　enclosure

能满足系统应用条件的有限空间。

2.1.4 泵组系统　pump supplied system

采用泵组对系统进行加压供水的系统。

2.1.5 瓶组系统　self-contained system

采用储水容器储水、储气容器进行加压供水的系统。

2.1.6 开式系统　open-type system

采用开式细水雾喷头的系统，包括全淹没应用方式和局部应用方式的系统。

2.1.7 闭式系统　close-type system

采用闭式细水雾喷头的系统。

2.1.8 全淹没应用方式　total flooding application

向整个防护区内喷放细水雾，保护其内部所有保护对象的系统应用方式。

2.1.9 局部应用方式　local application

向保护对象直接喷放细水雾，保护空间内某具体保护对象的系统应用方式。

2.1.10 响应时间 response time

系统从火灾自动报警系统发出灭火指令起至系统中最不利点喷头喷出细水雾的时间。

2.2 符 号

2.2.1 流量、流速

q——喷头的设计流量；

q_i——计算喷头的设计流量；

Q_s——系统的设计流量；

Q——管道的流量；

Re——雷诺数；

f——摩阻系数；

K——喷头的流量系数；

ρ——流体密度；

μ——动力黏度；

Δ——管道相对粗糙度；

ε——管道粗糙度；

C——海澄-威廉系数。

2.2.2 压力

P——喷头的设计工作压力；

P_e——最不利点处喷头与储水箱或储水容器最低水位的高程差；

P_f——管道的水头损失；

P_s——最不利点处喷头的工作压力；

P_t——系统的设计供水压力。

2.2.3 几何特征等

d——管道内径；

L——管道计算长度；

n——计算喷头数；

t——系统的设计喷雾时间；

V——储水箱或储水容器的设计所需有效容积。

3 设　　计

3.1 一般规定

3.1.1 系统设计采用的产品及组件，应符合现行国家标准《细水雾灭火系统及部件通用技术条件》GB/T 26785 等的有关规定。

3.1.2 系统的选型与设计，应综合分析保护对象的火灾危险性及其火灾特性、设计防火目标、保护对象的特征和环境条件以及喷头的喷雾特性等因素确定。

3.1.3 系统选型应符合下列规定：

1 液压站，配电室、电缆隧道、电缆夹层，电子信息系统机房，文物库，以及密集柜存储的图书库、资料库和档案库，宜选择全淹没应用方式的开式系统；

2 油浸变压器室、涡轮机房、柴油发电机房、润滑油站和燃油锅炉房、厨房内烹饪设备及其排烟罩和排烟管道部位，宜采用局部应用方式的开式系统；

3 采用非密集柜储存的图书库、资料库和档案库，可选择闭式系统。

3.1.4 系统宜选用泵组系统，闭式系统不应采用瓶组系统。

3.1.5 开式系统采用全淹没应用方式时，防护区内影响灭火有效性的开口宜在系统动作时联动关闭。当防护区内的开口不能在系统启动时自动关闭时，宜在该开口部位的上方增设喷头。

3.1.6 开式系统采用局部应用方式时，保护对象周围的气流速度不宜大于 3m/s。必要时，应采取挡风措施。

3.2 喷头选择与布置

3.2.1 喷头选择应符合下列规定：

1 对于环境条件易使喷头喷孔堵塞的场所，应选用具有相应防护措施且不影响细水雾喷放效果的喷头；

2 对于电子信息系统机房的地板夹层，宜选择适用于低矮空间的喷头；

3 对于闭式系统，应选择响应时间指数（RTI）不大于$50(m \cdot s)^{0.5}$的喷头，其公称动作温度宜高于环境最高温度30℃，且同一防护区内应采用相同热敏性能的喷头。

3.2.2 闭式系统的喷头布置应能保证细水雾喷放均匀、完全覆盖保护区域，并应符合下列规定：

1 喷头与墙壁的距离不应大于喷头最大布置间距的1/2；

2 喷头与其他遮挡物的距离应保证遮挡物不影响喷头正常喷放细水雾；当无法避免时，应采取补偿措施；

3 喷头的感温组件与顶棚或梁底的距离不宜小于75mm，并不宜大于150mm。当场所内设置吊顶时，喷头可贴临吊顶布置。

3.2.3 开式系统的喷头布置应能保证细水雾喷放均匀并完全覆盖保护区域，并应符合下列规定：

1 喷头与墙壁的距离不应大于喷头最大布置间距的1/2；

2 喷头与其他遮挡物的距离应保证遮挡物不影响喷头正常喷放细水雾；当无法避免时，应采取补偿措施；

3 对于电缆隧道或夹层，喷头宜布置在电缆隧道或夹层的上部，并应能使细水雾完全覆盖整个电缆或电缆桥架。

3.2.4 采用局部应用方式的开式系统，其喷头布置应能保证细水雾完全包络或覆盖保护对象或部位，喷头与保护对象的距离不宜小于0.5m。用于保护室内油浸变压器时，喷头的布置尚应符合下列规定：

1 当变压器高度超过4m时，喷头宜分层布置；

2 当冷却器距变压器本体超过0.7m时，应在其间隙内增设喷头；

3 喷头不应直接对准高压进线套管；

4 当变压器下方设置集油坑时，喷头布置应能使细水雾完全覆盖集油坑。

3.2.5 喷头与无绝缘带电设备的最小距离不应小于表3.2.5的规定。

表3.2.5 喷头与无绝缘带电设备的最小距离

带电设备额定电压等级 V(kV)	最小距离(m)
$110<V\leq 220$	2.2
$35<V\leq 110$	1.1
$V\leq 35$	0.5

3.2.6 系统应按喷头的型号规格储存备用喷头，其数量不应小于相同型号规格喷头实际设计使用总数的1%，且分别不应少于5只。

3.3 系统组件和管道及其布置

3.3.1 系统的主要组件宜设置在能避免机械碰撞等损伤的位置，当不能避免时，应采取防止机械碰撞等损伤的措施。

系统组件应具有耐腐蚀性能，当系统组件处于重度腐蚀环境中时，应采取防腐蚀的保护措施。

3.3.2 开式系统应按防护区设置分区控制阀。每个分区控制阀上或阀后邻近位置，宜设置泄放试验阀。

3.3.3 闭式系统应按楼层或防火分区设置分区控制阀。分区控制阀应为带开关锁定或开关指示的阀组。

3.3.4 分区控制阀宜靠近防护区设置，并应设置在防护区外便于操作、检查和维护的位置。

分区控制阀上宜设置系统动作信号反馈装置。当分区控制阀上无系统动作信号反馈装置时，应在分区控制阀后的配水干管上设置系统动作信号反馈装置。

3.3.5 闭式系统的最高点处宜设置手动排气阀，每个分区控制阀后的管网应设置试水阀，并应符合下列规定：

1 试水阀前应设置压力表；

2 试水阀出口的流量系数应与一只喷头的流量系数等效；

3　试水阀的接口大小应与管网末端的管道一致，测试水的排放不应对人员和设备等造成危害。

3.3.6　采用全淹没应用方式的开式系统，其管网宜均衡布置。

3.3.7　系统管网的最低点处应设置泄水阀。

3.3.8　对于油浸变压器，系统管道不宜横跨变压器的顶部，且不应影响设备的正常操作。

3.3.9　系统管道应采用防晃金属支、吊架固定在建筑构件上。支、吊架应能承受管道充满水时的重量及冲击，其间距不应大于表3.3.9的规定。

支、吊架应进行防腐蚀处理，并应采取防止与管道发生电化学腐蚀的措施。

表 3.3.9　系统管道支、吊架的间距

管道外径(mm)	≤16	20	24	28	32	40	48	60	≥76
最大间距(m)	1.5	1.8	2.0	2.2	2.5	2.8	2.8	3.2	3.8

3.3.10　系统管道应采用冷拔法制造的奥氏体不锈钢钢管，或其他耐腐蚀和耐压性能相当的金属管道。管道的材质和性能应符合现行国家标准《流体输送用不锈钢无缝钢管》GB/T 14976 和《流体输送用不锈钢焊接钢管》GB/T 12771 的有关规定。

系统最大工作压力不小于 3.50MPa 时，应采用符合现行国家标准《不锈钢和耐热钢　牌号及化学成分》GB/T 20878 中规定牌号为 022Cr17Ni12Mo2 的奥氏体不锈钢无缝钢管，或其他耐腐蚀和耐压性能不低于牌号为 022Cr17Ni12Mo2 的金属管道。

3.3.11　系统管道连接件的材质应与管道相同。系统管道宜采用专用接头或法兰连接，也可采用氩弧焊焊接。

3.3.12　系统组件、管道和管道附件的公称压力不应小于系统的最大设计工作压力。对于泵组系统，水泵吸水口至储水箱之间的管道、管道附件、阀门的公称压力，不应小于1.0MPa。

3.3.13　设置在有爆炸危险环境中的系统，其管网和组件应采取静电导除措施。

3.4 设计参数与水力计算

Ⅰ 设计参数

3.4.1 喷头的最低设计工作压力不应小于1.20MPa。

3.4.2 闭式系统的喷雾强度、喷头的布置间距和安装高度，宜经实体火灾模拟试验确定。

当喷头的设计工作压力不小于10MPa时，闭式系统也可根据喷头的安装高度按表3.4.2的规定确定系统的最小喷雾强度和喷头的布置间距；当喷头的设计工作压力小于10MPa时，应经试验确定。

表3.4.2 闭式系统的喷雾强度、喷头的布置间距和安装高度

应用场所	喷头的安装高度（m）	系统的最小喷雾强度（$L/min \cdot m^2$）	喷头的布置间距（m）
采用非密集柜储存的图书库、资料库、档案库	＞3.0且≤5.0	3.0	＞2.0且≤3.0
	≤3.0	2.0	

3.4.3 闭式系统的作用面积不宜小于$140m^2$。

每套泵组所带喷头数量不应超过100只。

3.4.4 采用全淹没应用方式的开式系统，其喷雾强度、喷头的布置间距、安装高度和工作压力，宜经实体火灾模拟试验确定，也可根据喷头的安装高度按表3.4.4确定系统的最小喷雾强度和喷头的布置间距。

表3.4.4 采用全淹没应用方式开式系统的喷雾强度、喷头的布置间距、安装高度和工作压力

应用场所	喷头的工作压力（MPa）	喷头的安装高度（m）	系统的最小喷雾强度（$L/min \cdot m^2$）	喷头的最大布置间距（m）
油浸变压器室，液压站，润滑油站，柴油发电机房，燃油锅炉房等	＞1.2且≤3.5	≤7.5	2.0	2.5
电缆隧道，电缆夹层		≤5.0	2.0	
文物库，以密集柜存储的图书库、资料库、档案库		≤3.0	0.9	

续表 3.4.4

<table>
<tr><th colspan="2">应用场所</th><th>喷头的工作压力(MPa)</th><th>喷头的安装高度(m)</th><th>系统的最小喷雾强度(L/min·m²)</th><th>喷头的最大布置间距(m)</th></tr>
<tr><td colspan="2">油浸变压器室，涡轮机房等</td><td rowspan="9">≥10</td><td>≤7.5</td><td>1.2</td><td rowspan="9">3.0</td></tr>
<tr><td colspan="2">液压站，柴油发电机房，燃油锅炉房等</td><td>≤5.0</td><td>1.0</td></tr>
<tr><td colspan="2" rowspan="2">电缆隧道，电缆夹层</td><td>>3.0 且≤5.0</td><td>2.0</td></tr>
<tr><td>≤3.0</td><td>1.0</td></tr>
<tr><td colspan="2" rowspan="2">文物库，以密集柜存储的图书库、资料库、档案库</td><td>>3.0 且≤5.0</td><td>2.0</td></tr>
<tr><td>≤3.0</td><td>1.0</td></tr>
<tr><td rowspan="2">电子信息系统机房</td><td>主机工作空间</td><td>≤3.0</td><td>0.7</td></tr>
<tr><td>地板夹层</td><td>≤0.5</td><td>0.3</td></tr>
</table>

3.4.5 采用全淹没应用方式的开式系统，其防护区数量不应大于3个。

单个防护区的容积，对于泵组系统不宜超过 $3000m^3$，对于瓶组系统不宜超过 $260m^3$。当超过单个防护区最大容积时，宜将该防护区分成多个分区进行保护，并应符合下列规定：

1 各分区的容积，对于泵组系统不宜超过 $3000m^3$，对于瓶组系统不宜超过 $260m^3$；

2 当各分区的火灾危险性相同或相近时，系统的设计参数可根据其中容积最大分区的参数确定；

3 当各分区的火灾危险性存在较大差异时，系统的设计参数应分别按各自分区的参数确定；

4 当设计参数与本规范表 3.4.4 不相符合时，应经实体火灾模拟试验确定。

3.4.6 采用局部应用方式的开式系统，当保护具有可燃液体火灾危险的场所时，系统的设计参数应根据产品认证检验时，国家授权的认证检验机构根据现行国家标准《细水雾灭火系统及部件通用技术条件》GB/T 26785 认证检验时获得的试验数据确定，且不应超出试验限定的条件。

3.4.7 采用局部应用方式的开式系统，其保护面积应按下列规定确定：

1 对于外形规则的保护对象，应为该保护对象的外表面面积；

2 对于外形不规则的保护对象，应为包容该保护对象的最小规则形体的外表面面积；

3 对于可能发生可燃液体流淌火或喷射火的保护对象，除应符合本条第1或2款的要求外，还应包括可燃液体流淌火或喷射火可能影响到的区域的水平投影面积。

3.4.8 开式系统的设计响应时间不应大于30s。

采用全淹没应用方式的开式系统，当采用瓶组系统且在同一防护区内使用多组瓶组时，各瓶组应能同时启动，其动作响应时差不应大于2s。

3.4.9 系统的设计持续喷雾时间应符合下列规定：

1 用于保护电子信息系统机房、配电室等电子、电气设备间，图书库、资料库、档案库，文物库，电缆隧道和电缆夹层等场所时，系统的设计持续喷雾时间不应小于30min；

2 用于保护油浸变压器室、涡轮机房、柴油发电机房、液压站、润滑油站、燃油锅炉房等含有可燃液体的机械设备间时，系统的设计持续喷雾时间不应小于20min；

3 用于扑救厨房内烹饪设备及其排烟罩和排烟管道部位的火灾时，系统的设计持续喷雾时间不应小于15s，设计冷却时间不应小于15min；

4 对于瓶组系统，系统的设计持续喷雾时间可按其实体火灾模拟试验灭火时间的2倍确定，且不宜小于10min。

3.4.10 为确定系统设计参数的实体火灾模拟试验应由国家授权的机构实施，并应符合本规范附录A的规定。在工程应用中采用实体模拟实验结果时，应符合下列规定：

1 系统设计喷雾强度不应小于试验所用喷雾强度；

2 喷头最低工作压力不应小于试验测得最不利点喷头的工作压力；

3 喷头布置间距和安装高度分别不应大于试验时的喷头间距和安装高度；

4 喷头的安装角度应与试验安装角度一致。

Ⅱ 水力计算

3.4.11 系统管道的水头损失应按下列公式计算：

$$P_f = 0.2252\frac{fL\rho Q^2}{d^5} \quad (3.4.11\text{-}1)$$

$$Re = 21.22\frac{Q\rho}{d\mu} \quad (3.4.11\text{-}2)$$

$$\Delta = \frac{\varepsilon}{d} \quad (3.4.11\text{-}3)$$

式中：P_f——管道的水头损失，包括沿程水头损失和局部水头损失（MPa）；

Q——管道的流量（L/min）；

L——管道计算长度，包括管段的长度和该管段内管接件、阀门等的当量长度（m）；

d——管道内径（mm）；

f——摩阻系数，根据 Re 和 Δ 值按图 3.4.11 确定；

ρ——流体密度（kg/m^3），根据表 3.4.11 确定；

Re——雷诺数；

μ——动力黏度（cp），根据表 3.4.11 确定；

Δ——管道相对粗糙度；

ε——管道粗糙度（mm），对于不锈钢管，取 0.045mm。

表 3.4.11 水的密度及其动力黏度系数

温度（℃）	水的密度（kg/m^3）	水的动力黏度系数（cp）
4.4	999.9	1.50
10.0	999.7	1.30
15.6	998.8	1.10
21.1	998.0	0.95
26.7	996.6	0.85
32.2	995.4	0.74
37.8	993.6	0.66

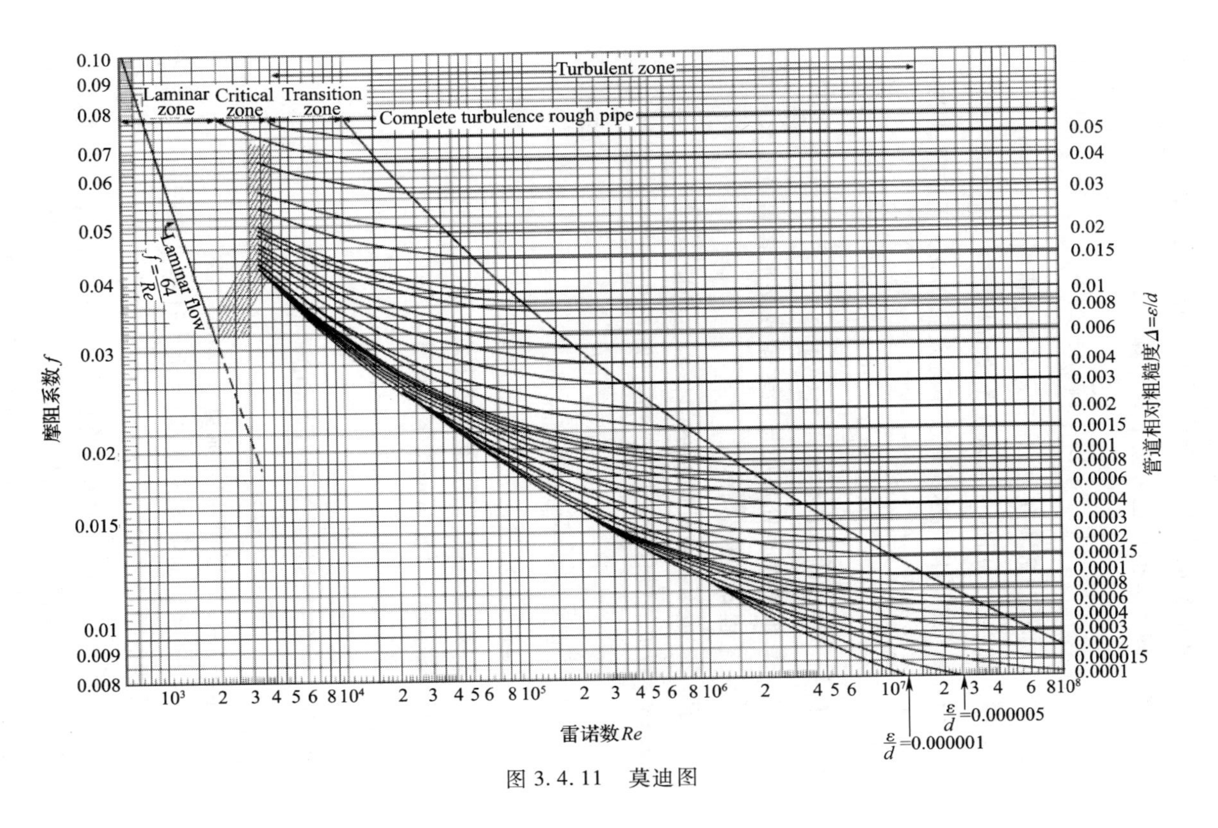

Turbulent zone
Complete turbulence rough pipe
Laminar zone
Critical zone
Transition zone
Laminar flow
$f=\frac{64}{Re}$
摩阻系数 f
雷诺数 Re
管道相对粗糙度 $\Delta=\varepsilon/d$
$\frac{\varepsilon}{d}=0.000001$
$\frac{\varepsilon}{d}=0.000005$

图 3.4.11　莫迪图

3.4.12 当系统的管径大于或等于20mm且流速小于7.6m/s时，其管道的水头损失也可按下式计算：

$$P_f = 6.05\frac{LQ^{1.85}}{C^{1.85}d^{4.87}}\times 10^4 \quad (3.4.12)$$

式中：C——海澄-威廉系数；对于铜管和不锈钢管，取130。

3.4.13 管件和阀门的局部水头损失宜根据其当量长度计算。

3.4.14 系统管道内的水流速度不宜大于10m/s，不应超过20m/s。

3.4.15 系统的设计供水压力应按下式计算：

$$P_t = \sum P_f + P_e + P_s \quad (3.4.15)$$

式中：P_t——系统的设计供水压力(MPa)；

P_e——最不利点处喷头与储水箱或储水容器最低水位的高程差(MPa)；

P_s——最不利点处喷头的工作压力(MPa)。

3.4.16 喷头的设计流量应按下式计算：

$$q = K\sqrt{10P} \quad (3.4.16)$$

式中：q——喷头的设计流量(L/min)；

K——喷头的流量系数[L/min/(MPa)$^{1/2}$]；

P——喷头的设计工作压力(MPa)。

3.4.17 系统的设计流量应按下式计算：

$$Q_s = \sum_{i=1}^{n} q_i \quad (3.4.17)$$

式中：Q_s——系统的设计流量(L/min)；

n——计算喷头数；

q_i——计算喷头的设计流量(L/min)。

3.4.18 闭式系统的设计流量，应为水力计算最不利的计算面积内所有喷头的流量之和。

一套采用全淹没应用方式保护多个防护区的开式系统，其设计流量应为其中最大一个防护区内喷头的流量之和。当防护区间无耐火构件分隔且相邻时，系统的设计流量应为计算防护区与相邻防护区内的喷头同时开放时的流量之和，并应取其中最大值。

采用局部应用方式的开式系统，其设计流量应为其保护面积内所有喷头的流量之和。

3.4.19 系统设计流量的计算，应确保任意计算面积内任意4只喷头围合范围内的平均喷雾强度不低于本规范表3.4.2和表3.4.4的规定值或实体火灾模拟试验确定的喷雾强度。

3.4.20 系统储水箱或储水容器的设计所需有效容积应按下式计算：

$$V = Q_s \cdot t \tag{3.4.20}$$

式中：V——储水箱或储水容器的设计所需有效容积(L)；

t——系统的设计喷雾时间(min)。

3.4.21 泵组系统储水箱的补水流量不应小于系统设计流量。

3.5 供 水

3.5.1 系统的水质除应符合制造商的技术要求外，尚应符合下列要求：

1 泵组系统的水质不应低于现行国家标准《生活饮用水卫生标准》GB 5749的有关规定；

2 瓶组系统的水质不应低于现行国家标准《瓶(桶)装饮用纯净水卫生标准》GB 17324的有关规定；

3 系统补水水源的水质应与系统的水质要求一致。

3.5.2 瓶组系统的供水装置应由储水容器、储气容器和压力显示装置等部件组成，储水容器、储气容器均应设置安全阀。

同一系统中的储水容器或储气容器，其规格、充装量和充装压力应分别一致。

储水容器组及其布置应便于检查、测试、重新灌装和维护，其操作面距墙或操作面之间的距离不宜小于0.8m。

3.5.3 瓶组系统的储水量和驱动气体储量，应根据保护对象的重要性、维护恢复时间等设置备用量。对于恢复时间超过48h的瓶组系统，应按主用量的100%设置备用量。

3.5.4 泵组系统的供水装置宜由储水箱、水泵、水泵控制柜(盘)、安全阀等部件组成，并应符合下列规定：

1 储水箱应采用密闭结构，并应采用不锈钢或其他能保证水质的材料制作；

2 储水箱应具有防尘、避光的技术措施；

3 储水箱应具有保证自动补水的装置，并应设置液位显示、高低液位报警装置和溢流、透气及放空装置；

4 水泵应具有自动和手动启动功能以及巡检功能。当巡检中接到启动指令时，应能立即退出巡检，进入正常运行状态；

5 水泵控制柜(盘)的防护等级不应低于IP54；

6 安全阀的动作压力应为系统最大工作压力的1.15倍。

3.5.5 泵组系统应设置独立的水泵，并应符合下列规定：

1 水泵应设置备用泵。备用泵的工作性能应与最大一台工作泵相同，主、备用泵应具有自动切换功能，并应能手动操作停泵。主、备用泵的自动切换时间不应小于30s；

2 水泵应采用自灌式引水或其他可靠的引水方式；

3 水泵出水总管上应设置压力显示装置、安全阀和泄放试验阀；

4 每台泵的出水口均应设置止回阀；

5 水泵的控制装置应布置在干燥、通风的部位，并应便于操作和检修；

6 水泵采用柴油机泵时，应保证其能持续运行60min。

3.5.6 闭式系统的泵组系统应设置稳压泵，稳压泵的流量不应大于系统中水力最不利点一只喷头的流量，其工作压力应满足工作泵的启动要求。

3.5.7 水泵或其他供水设备应满足系统对流量和工作压力的要求，其工作状态及其供电状况应能在消防值班室进行监视。

3.5.8 泵组系统应至少有一路可靠的自动补水水源，补水水源的水量、水压应满足系统的设计要求。

当水源的水量不能满足设计要求时，泵组系统应设置专用的储水箱，其有效容积应符合本规范第3.4.20条的规定。

3.5.9 在储水箱进水口处应设置过滤器，出水口或控制阀前应设置过滤器，过滤器的设置位置应便于维护、更换和清洗等。

3.5.10 过滤器应符合下列规定：

1 过滤器的材质应为不锈钢、铜合金，或其他耐腐蚀性能不低于不锈钢、铜合金的材料；

2 过滤器的网孔孔径不应大于喷头最小喷孔孔径的80%。

3.5.11 闭式系统的供水设施和供水管道的环境温度不得低于4℃，且不得高于70℃。

3.6 控　　制

3.6.1 瓶组系统应具有自动、手动和机械应急操作控制方式，其机械应急操作应能在瓶组间内直接手动启动系统。

泵组系统应具有自动、手动控制方式。

3.6.2 开式系统的自动控制应能在接收到两个独立的火灾报警信号后自动启动。

闭式系统的自动控制应能在喷头动作后，由动作信号反馈装置直接联锁自动启动。

3.6.3 在消防控制室内和防护区入口处，应设置系统手动启动装置。

3.6.4 手动启动装置和机械应急操作装置应能在一处完成系统启动的全部操作，并应采取防止误操作的措施。手动启动装置和机械应急操作装置上应设置与所保护场所对应的明确标识。

设置系统的场所以及系统的手动操作位置，应在明显位置设置系统操作说明。

3.6.5 防护区或保护场所的入口处应设置声光报警装置和系统动作指示灯。

3.6.6 开式系统分区控制阀应符合下列规定：

1 应具有接收控制信号实现启动、反馈阀门启闭或故障信号的功能；

2 应具有自动、手动启动和机械应急操作启动功能，关闭阀门应采用手动操作方式；

3 应在明显位置设置对应于防护区或保护对象的永久性标识，并应标明水流方向。

3.6.7 火灾报警联动控制系统应能远程启动水泵或瓶组、开式系统分区控制阀，并应能接收水泵的工作状态、分区控制阀的启闭状态及细水雾喷放的反馈信号。

3.6.8 系统应设置备用电源。系统的主备电源应能自动和手动切换。

3.6.9 系统启动时，应联动切断带电保护对象的电源，并应同时切断或关闭防护区内或保护对象的可燃气体、液体或可燃粉体供给等影响灭火效果或因灭火可能带来次生危害的设备和设施。

3.6.10 与系统联动的火灾自动报警和控制系统的设计，应符合现行国家标准《火灾自动报警系统设计规范》GB 50116 的有关规定。

4 施　工

4.1 一 般 规 定

4.1.1 系统施工可划分为进场检验、系统安装、系统调试和系统验收四个子分部工程，并应符合本规范附录B的要求。

4.1.2 施工现场应具有相应的施工组织计划，质量管理体系和施工质量检查制度，并应实现施工全过程质量控制。施工现场质量管理应按本规范附录C填写记录。

4.1.3 施工应按经审核批准的工程设计文件进行。设计变更应由原设计单位出具。

4.1.4 施工过程应按下列规定进行质量控制：

1 应按本规范第4.2节的规定对系统组件、材料等进行进场检验，应检验合格并经监理工程师签证后再安装使用；

2 各工序应按施工组织计划进行质量控制；每道工序完成后，相关专业工种之间应进行交接认可，应经监理工程师签证后再进行下道工序施工；

3 应由监理工程师组织施工单位对施工过程进行检查；

4 隐蔽工程在封闭前，施工单位应通知有关单位进行验收并记录。

4.1.5 系统安装过程中应采取安全保护措施。

4.1.6 与系统联动的火灾自动报警系统和其他联动控制装置的安装，应符合现行国家标准《火灾自动报警系统施工及验收规范》GB 50166的有关规定。

4.1.7 系统安装完毕，施工单位应进行系统调试。当系统需与有关的火灾自动报警系统及联动控制设备联动时，应进行联合调试。

调试合格后，施工单位应向建设单位提供质量控制资料和按本规范附录C填写的全部施工过程检查记录，并应提交验收申请报告申请验收。

4.2 进场检验

4.2.1 材料和系统组件的进场检验应按本规范表D.0.1填写施工进场检验记录。

4.2.2 管材及管件的材质、规格、型号、质量等应符合设计要求和现行国家标准《流体输送用不锈钢无缝钢管》GB/T 14976、《流体输送用不锈钢焊接钢管》GB/T 12771和《工业金属管道工程施工规范》GB 50235等的有关规定。

检查数量：全数检查。

检查方法：检查出厂合格证或质量认证书。

4.2.3 管材及管件的外观应符合下列规定：

1 表面应无明显的裂纹、缩孔、夹渣、折叠、重皮等缺陷；

2 法兰密封面应平整光洁，不应有毛刺及径向沟槽；螺纹法兰的螺纹表面应完整无损伤；

3 密封垫片表面应无明显折损、皱纹、划痕等缺陷。

检查数量：全数检查。

检查方法：直观检查。

4.2.4 管材及管件的规格、尺寸和壁厚及允许偏差，应符合国家现行有关产品标准和设计要求。

检查数量：每一规格、型号产品按件数抽查20%，且不得少于1件。

检查方法：用钢尺和游标卡尺测量。

4.2.5 储水瓶组、储气瓶组、泵组单元、控制柜(盘)、储水箱、控制阀、过滤器、安全阀、减压装置、信号反馈装置等系统组件的规格、型号，应符合国家现行有关产品标准和设计要求，外观应符合下列规定：

1 应无变形及其他机械性损伤；

2 外露非机械加工表面保护涂层应完好；

3 所有外露口均应设有保护堵盖，且密封应良好；

4 铭牌标记应清晰、牢固、方向正确。

检查数量：全数检查。

检查方法：直观检查，并检查产品出厂合格证和市场准入制度要求的有效证明文件。

4.2.6 细水雾喷头的进场检验应符合下列要求：

1 喷头的商标、型号、制造厂及生产时间等标志应齐全、清晰；

2 喷头的数量等应满足设计要求；

3 喷头外观应无加工缺陷和机械损伤；

4 喷头螺纹密封面应无伤痕、毛刺、缺丝或断丝现象。

检查数量：分别按不同型号规格抽查1%，且不得少于5只；少于5只时，全数检查。

检查方法：直观检查，并检查喷头出厂合格证和市场准入制度要求的有效证明文件。

4.2.7 阀组的进场检验应符合下列要求：

1 各阀门的商标、型号、规格等标志应齐全；

2 各阀门及其附件应配备齐全，不得有加工缺陷和机械损伤；

3 控制阀的明显部位应有标明水流方向的永久性标志；

4 控制阀的阀瓣及操作机构应动作灵活、无卡涩现象，阀体内应清洁、无异物堵塞，阀组进出口应密封完好。

检查数量：全数检查。

检查方法：直观检查及在专用试验装置上测试，主要测试设备有试压泵、压力表。

4.2.8 储气瓶组进场时，驱动装置应按产品使用说明规定的方法进行动作检查，动作应灵活无卡阻现象。

检查数量：全数检查。

检查方法：直观检查。

4.2.9 进场抽样检查时有一件不合格，应加倍抽样；仍有不合格时，应判定该批产品不合格。

4.3 安 装

4.3.1 系统安装前，设计单位应向施工单位进行技术交底，并应具备下列条件：

1 经审核批准的设计施工图、设计说明书及设计变更等技术文件齐全；

2 系统及其主要组件的安装使用等资料齐全；

3 系统组件、管件及其他设备、材料等的品种、规格、型号符合设计要求；

4 防护区或保护对象及设备间的设置条件与设计文件相符；

5 系统所需的预埋件和预留孔洞等符合设计要求；

6 施工现场和施工中使用的水、电、气满足施工要求。

4.3.2 系统的安装应按本规范表 D.0.2～表 D.0.5 填写施工过程记录和隐蔽工程验收记录。

4.3.3 储水瓶组、储气瓶组的安装应符合下列规定：

1 应按设计要求确定瓶组的安装位置；

2 瓶组的安装、固定和支撑应稳固，且固定支框架应进行防腐处理；

3 瓶组容器上的压力表应朝向操作面，安装高度和方向应一致。

检查数量：全数检查。

检查方法：尺量和直观检查。

4.3.4 泵组的安装除应符合现行国家标准《机械设备安装工程施工及验收通用规范》GB 50231 和《风机、压缩机、泵安装工程施工及验收规范》GB 50275 的有关规定外，尚应符合下列规定：

1 系统采用柱塞泵时，泵组安装后应充装润滑油并检查油位；

2 泵组吸水管上的变径处应采用偏心大小头连接。

检查数量：全数检查。

检查方法：直观检查，高压泵组应启泵检查。

4.3.5 泵组控制柜的安装应符合下列规定：

1 控制柜基座的水平度偏差不应大于±2mm/m，并应采取防腐及防水措施；

2 控制柜与基座应采用直径不小于 12mm 的螺栓固定，每只柜不应少于 4 只螺栓；

3 做控制柜的上下进出线口时，不应破坏控制柜的防护等级。

检查数量：全部检查。

检查方法：直观检查。

4.3.6 阀组的安装除应符合现行国家标准《工业金属管道工程施工规范》GB 50235 的有关规定外，尚应符合下列规定：

1 应按设计要求确定阀组的观测仪表和操作阀门的安装位置，并应便于观测和操作。阀组上的启闭标志应便于识别，控制阀上应设置标明所控制防护区的永久性标志牌。

检查数量：全数检查。

检查方法：直观检查和尺量检查。

2 分区控制阀的安装高度宜为 1.2m～1.6m，操作面与墙或其他设备的距离不应小于 0.8m，并应满足安全操作要求。

检查数量：全数检查。

检查方法：对照图纸尺量检查和操作阀门检查。

3 分区控制阀应有明显启闭标志和可靠的锁定设施，并应具有启闭状态的信号反馈功能。

检查数量：全数检查。

检查方法：直观检查。

4 闭式系统试水阀的安装位置应便于安全的检查、试验。

检查数量：全数检查。

检查方法：尺量和直观检查，必要时可操作试水阀检查。

4.3.7 管道和管件的安装除应符合现行国家标准《工业金属管道工程施工规范》GB 50235 和《现场设备、工业管道焊接工程施工规范》GB 50236 的有关规定外，尚应符合下列规定：

1 管道安装前应分段进行清洗。施工过程中，应保证管道内部清洁，不得留有焊渣、焊瘤、氧化皮、杂质或其他异物，施工过程中的开口应及时封闭。

2 并排管道法兰应方便拆装，间距不宜小于 100mm。

3 管道之间或管道与管接头之间的焊接应采用对口焊接。系统管道焊接时，应使用氩弧焊工艺，并应使用性能相容的焊条。

管道焊接的坡口形式、加工方法和尺寸等，均应符合现行国家标准《气焊、焊条电弧焊、气体保护焊和高能束焊的推荐坡口》GB/T 985.1的有关规定。

4 管道穿越墙体、楼板处应使用套管；穿过墙体的套管长度不应小于该墙体的厚度，穿过楼板的套管长度应高出楼地面 50mm。管道与套管间的空隙应采用防火封堵材料填塞密实。设置在有爆炸危险场所的管道应采取导除静电的措施。

5 管道的固定应符合本规范第 3.3.9 条的规定。

检查数量：全数检查。

检查方法：尺量和直观检查。

4.3.8 管道安装固定后，应进行冲洗，并应符合下列规定：

1 冲洗前，应对系统的仪表采取保护措施，并应对管道支、吊架进行检查，必要时应采取加固措施；

2 冲洗用水的水质宜满足系统的要求；

3 冲洗流速不应低于设计流速；

4 冲洗合格后，应按本规范表 D.0.3 填写管道冲洗记录。

检查数量：全数检查。

检查方法：宜采用最大设计流量，沿灭火时管网内的水流方向分区、分段进行，用白布检查无杂质为合格。

4.3.9 管道冲洗合格后，管道应进行压力试验，并应符合下列规定：

1 试验用水的水质应与管道的冲洗水一致；

2 试验压力应为系统工作压力的1.5倍；

3 试验的测试点宜设在系统管网的最低点，对不能参与试压的设备、仪表、阀门及附件应加以隔离或在试验后安装；

4 试验合格后，应按本规范表D.0.4填写试验记录。

检查数量：全数检查。

检查方法：管道充满水、排净空气，用试压装置缓慢升压，当压力升至试验压力后，稳压5min，管道无损坏、变形，再将试验压力降至设计压力，稳压120min，以压力不降、无渗漏、目测管道无变形为合格。

4.3.10 压力试验合格后，系统管道宜采用压缩空气或氮气进行吹扫，吹扫压力不应大于管道的设计压力，流速不宜小于20m/s。

检查数量：全数检查。

检查方法：在管道末端设置贴有白布或涂白漆的靶板，以5min内靶板上无锈渣、灰尘、水渍及其他杂物为合格。

4.3.11 喷头的安装应在管道试压、吹扫合格后进行，并应符合下列规定：

1 应根据设计文件逐个核对其生产厂标志、型号、规格和喷孔方向，不得对喷头进行拆装、改动；

2 应采用专用扳手安装；

3 喷头安装高度、间距，与吊顶、门、窗、洞口、墙或障碍物的距离应符合设计要求；

4 不带装饰罩的喷头，其连接管管端螺纹不应露出吊顶；带装饰罩的喷头应紧贴吊顶；带有外置式过滤网的喷头，其过滤网不应伸入支干管内；

5 喷头与管道的连接宜采用端面密封或O型圈密封，不应采用聚四氟乙烯、麻丝、粘结剂等作密封材料。

检查数量:全数检查。

检查方法:直观检查。

4.4 调 试

4.4.1 系统调试前,应具备下列条件:

1 系统及与系统联动的火灾报警系统或其他装置、电源等均应处于准工作状态,现场安全条件应符合调试要求;

2 系统调试时所需的检查设备应齐全,调试所需仪器、仪表应经校验合格并与系统连接和固定;

3 应具备经监理批准的调试方案。

4.4.2 系统调试应包括泵组、稳压泵、分区控制阀的调试和联动试验,并应根据批准的方案按程序进行。

4.4.3 泵组调试应符合下列规定:

1 以自动或手动方式启动泵组时,泵组应立即投入运行。

检查数量:全数检查。

检查方法:手动和自动启动泵组。

2 以备用电源切换方式或备用泵切换启动泵组时,泵组应立即投入运行。

检查数量:全数检查。

检查方法:手动切换启动泵组。

3 采用柴油泵作为备用泵时,柴油泵的启动时间不应大于5s。

检查数量:全数检查。

检查方法:手动启动柴油泵。

4 控制柜应进行空载和加载控制调试,控制柜应能按其设计功能正常动作和显示。

检查数量:全数检查。

检查方法:使用电压表、电流表和兆欧表等仪表通电直观检查。

4.4.4 稳压泵调试时，在模拟设计启动条件下，稳压泵应能立即启动；当达到系统设计压力时，应能自动停止运行。

检查数量：全数检查。

检查方法：模拟设计启动条件启动稳压泵检查。

4.4.5 分区控制阀调试应符合下列规定：

1 对于开式系统，分区控制阀应能在接到动作指令后立即启动，并应发出相应的阀门动作信号。

检查数量：全数检查。

检查方法：采用自动和手动方式启动分区控制阀，水通过泄放试验阀排出，直观检查。

2 对于闭式系统，当分区控制阀采用信号阀时，应能反馈阀门的启闭状态和故障信号。

检查数量：全数检查。

检查方法：在试水阀处放水或手动关闭分区控制阀，直观检查。

4.4.6 系统应进行联动试验，对于允许喷雾的防护区或保护对象，应至少在1个区进行实际细水雾喷放试验；对于不允许喷雾的防护区或保护对象，应进行模拟细水雾喷放试验。

4.4.7 开式系统的联动试验应符合下列规定：

1 进行实际细水雾喷放试验时，可采用模拟火灾信号启动系统，分区控制阀、泵组或瓶组应能及时动作并发出相应的动作信号，系统的动作信号反馈装置应能及时发出系统启动的反馈信号，相应防护区或保护对象保护面积内的喷头应喷出细水雾。

检查数量：全数检查。

检查方法：直观检查。

2 进行模拟细水雾喷放试验时，应手动开启泄放试验阀，采用模拟火灾信号启动系统时，泵组或瓶组应能及时动作并发出相应的动作信号，系统的动作信号反馈装置应能及时发出系统启动的反馈信号。

检查数量:全数检查。

检查方法:直观检查。

3 相应场所入口处的警示灯应动作。

检查数量:全数检查。

检查方法:直观检查。

4.4.8 闭式系统的联动试验可利用试水阀放水进行模拟。打开试水阀后,泵组应能及时启动并发出相应的动作信号;系统的动作信号反馈装置应能及时发出系统启动的反馈信号。

检查数量:全数检查。

检查方法:打开试水阀放水,直观检查。

4.4.9 当系统需与火灾自动报警系统联动时,可利用模拟火灾信号进行试验。在模拟火灾信号下,火灾报警装置应能自动发出报警信号,系统应动作,相关联动控制装置应能发出自动关断指令,火灾时需要关闭的相关可燃气体或液体供给源关闭等设施应能联动关断。

检查数量:全数检查。

检查方法:模拟火灾信号,直观检查。

4.4.10 系统调试合格后,应按本规范表 D.0.6 填写调试记录,并应用压缩空气或氮气吹扫,将系统恢复至准工作状态。

5 验　　收

5.0.1 系统的验收应由建设单位组织施工、设计、监理等单位共同进行。系统验收合格后，应将系统恢复至正常运行状态，并应向建设单位移交竣工验收文件资料和系统工程验收记录。系统验收不合格不得投入使用。

5.0.2 系统验收时，应提供下列资料，并应按本规范附录E进行质量控制资料核查，按本规范附录F进行验收：

1 验收申请报告、设计施工图、设计变更文件、竣工图；

2 主要系统组件和材料的符合国家标准的有效证明文件和产品出厂合格证；

3 系统及其主要组件的安装使用和维护说明书；

4 施工单位的有效资质文件和施工现场质量管理检查记录；

5 系统施工过程质量检查记录、施工事故处理报告；

6 系统试压记录、管网冲洗记录和隐蔽工程验收记录。

5.0.3 泵组系统水源验收应符合下列规定：

1 进(补)水管管径及供水能力、储水箱的容量，均应符合设计要求；

2 水质应符合设计规定的标准；

3 过滤器的设置应符合设计要求。

检查数量：全数检查。

检查方法：对照设计资料采用流速计、直尺等测量和直观检查；水质取样检查。

5.0.4 泵组验收应符合下列规定：

1 工作泵、备用泵、吸水管、出水管、出水管上的安全阀、止回阀、信号阀等的规格、型号、数量应符合设计要求；吸水管、出水管上的检修阀应锁定在常开位置，并应有明显标记。

检查数量：全数检查。

检查方法：对照设计资料和产品说明书直观检查。

2 水泵的引水方式应符合设计要求。

检查数量：全数检查。

检查方法：直观检查。

3 水泵的压力和流量应满足设计要求。

检查数量：全数检查。

检查方法：自动开启水泵出水管上的泄放试验阀，使用压力表、流量计等直观检查。

4 泵组在主电源下应能在规定时间内正常启动。

检查数量：全数检查。

检查方法：打开水泵出水管上的泄放试验阀，利用主电源向泵组供电；关掉主电源检查主备电源的切换情况，用秒表等直观检查。

5 当系统管网中的水压下降到设计最低压力时，稳压泵应能自动启动。

检查数量：全数检查。

检查方法：使用压力表，直观检查。

6 泵组应能自动启动和手动启动。

检查数量：全数检查。

检查方法：自动启动检查，对于开式系统，采用模拟火灾信号启动泵组。对于闭式系统，开启末端试水阀启动泵组，直观检查。手动启动检查，按下水泵控制柜的按钮，直观检查。

7 控制柜的规格、型号、数量应符合设计要求；控制柜的图纸塑封后应牢固粘贴于柜门内侧。

检查数量：全数检查。

检查方法：直观检查。

5.0.5 储气瓶组和储水瓶组的验收应符合下列规定：

1 瓶组的数量、型号、规格、安装位置、固定方式和标志，应符合设计要求和本规范第 4.3.3 条的规定。

检查数量：全数检查。

检查方法：观察和测量检查。

2 储水容器内水的充装量和储气容器内氮气或压缩空气的储存压力应符合设计要求。

检查数量：称重检查按储水容器全数（不足 5 个按 5 个计）的 20％检查；储存压力检查按储气容器全数检查。

检查方法：称重、用液位计或压力计测量。

3 瓶组的机械应急操作处的标志应符合设计要求。应急操作装置应有铅封的安全销或保护罩。

检查数量：全数检查。

检查方法：直观检查、测量检查。

5.0.6 控制阀的验收应符合下列规定：

1 控制阀的型号、规格、安装位置、固定方式和启闭标识等，应符合设计要求和本规范第 4.3.6 条的规定。

检查数量：全数检查。

检查方法：直观检查。

2 开式系统分区控制阀组应能采用手动和自动方式可靠动作。

检查数量：全数检查。

检查方法：手动和电动启动分区控制阀，直观检查阀门启闭反馈情况。

3 闭式系统分区控制阀组应能采用手动方式可靠动作。

检查数量：全数检查。

检查方法：将处于常开位置的分区控制阀手动关闭，直观检查。

4 分区控制阀前后的阀门均应处于常开位置。

检查数量：全数检查。

检查方法：直观检查。

5.0.7 管网验收应符合下列规定：

1 管道的材质与规格、管径、连接方式、安装位置及采取的防冻措施，应符合设计要求和本规范第 4.3.7 条的有关规定。

检查数量：全数检查。

检查方法：直观检查和核查相关证明材料。

2 管网上的控制阀、动作信号反馈装置、止回阀、试水阀、安全阀、排气阀等，其规格和安装位置均应符合设计要求。

检查数量：全数检查。

检查方法：直观检查。

3 管道固定支、吊架的固定方式、间距及其与管道间的防电化学腐蚀措施，应符合设计要求。

检查数量：按总数抽查 20%，且不得少于 5 处。

检查方法：尺量和直观检查。

5.0.8 喷头验收应符合下列规定：

1 喷头的数量、规格、型号以及闭式喷头的公称动作温度等，应符合设计要求。

检查数量：全数核查。

检查方法：直观检查。

2 喷头的安装位置、安装高度、间距及与墙体、梁等障碍物的距离，均应符合设计要求和本规范第 4.3.11 条的有关规定，距离偏差不应大于±15mm。

检查数量：全数核查。

检查方法：对照图纸尺量检查。

3 不同型号规格喷头的备用量不应小于其实际安装总数的 1%，且每种备用喷头数不应少于 5 只。

检查数量：全数检查。

检查方法：计数检查。

5.0.9 每个系统应进行模拟联动功能试验，并应符合下列规定：

1 动作信号反馈装置应能正常动作，并应能在动作后启动泵组或开启瓶组及与其联动的相关设备，可正确发出反馈信号。

检查数量：全数检查。

检查方法：利用模拟信号试验，直观检查。

2 开式系统的分区控制阀应能正常开启，并可正确发出反馈信号。

检查数量：全数检查。

检查方法：利用模拟信号试验，直观检查。

3 系统的流量、压力均应符合设计要求。

检查数量：全数检查。

检查方法：利用系统流量压力检测装置通过泄放试验，直观检查。

4 泵组或瓶组及其他消防联动控制设备应能正常启动，并应有反馈信号显示。

检查数量：全数检查。

检查方法：直观检查。

5 主、备电源应能在规定时间内正常切换。

检查数量：全数检查。

检查方法：模拟主备电切换，采用秒表计时检查。

5.0.10 开式系统应进行冷喷试验，除应符合本规范第 5.0.9 条的规定外，其响应时间应符合设计要求。

检查数量：至少一个系统、一个防护区或一个保护对象。

检查方法：自动启动系统，采用秒表等直观检查。

5.0.11 系统工程质量验收合格与否，应根据其质量缺陷项情况进行判定。系统工程质量缺陷项目应按表 5.0.11 划分为严重缺陷项、一般缺陷项和轻度缺陷项。

当无严重缺陷项，或一般缺陷项不多于 2 项，或一般缺陷项与轻度缺陷项之和不多于 6 项时，可判定系统验收为合格；当有严重缺陷项，或一般缺陷项大于等于 3 项，或一般缺陷项与轻度缺陷项之和大于等于 7 项时，应判定为不合格。

表 5.0.11　系统工程质量缺陷项目划分

项目	对应本规范的要求
严重缺陷项	第 5.0.2 条、第 5.0.3 条、第 5.0.4 条第 4、6 款、第 5.0.6 条第 3 款、第 5.0.7 条第 1 款、第 5.0.8 条第 1 款、第 5.0.9 条、第 5.0.10 条
一般缺陷项	第 5.0.4 条第 1、2、3、5、7 款、第 5.0.5 条第 2 款、第 5.0.6 条第 1、2 款、第 5.0.7 条第 2 款、第 5.0.8 条第 2 款
轻度缺陷项	第 5.0.5 条第 1、3 款、第 5.0.6 条第 4 款、第 5.0.7 条第 3 款、第 5.0.8 条第 3 款

6 维护管理

6.0.1 使用单位应制定系统的维护管理制度,并应根据维护制度和操作规程进行,使系统处于正常运行状态。

6.0.2 系统的维护管理应由经过培训的人员承担。维护管理人员应熟悉系统的工作原理和操作维护方法与要求。

6.0.3 系统的维护管理宜按本规范表G.0.1的要求进行,并应按表G.0.2填写系统维护管理记录。

6.0.4 系统发生故障并需停用进行维修时,应经消防责任人批准并在采取相应的防范措施后进行。

6.0.5 当改变建筑物的用途或几何特征或可燃物特性等可能影响系统的灭火有效性时,应对系统进行校核或重新设计。

6.0.6 系统应按本规范要求进行日检、月检、季检和年检,检查中发现的问题应及时按规定要求处理。

6.0.7 每日应对系统的下列项目进行一次检查:

1 应检查控制阀等各种阀门的外观及启闭状态是否符合设计要求;

2 应检查系统的主备电源接通情况;

3 寒冷和严寒地区,应检查设置储水设备的房间温度,房间温度不应低于5℃;

4 应检查报警控制器、水泵控制柜(盘)的控制面板及显示信号状态;

5 应检查系统的标志和使用说明等标识是否正确、清晰、完整,并应处于正确位置。

6.0.8 每月应对系统的下列项目进行一次检查:

1 应检查系统组件的外观,应无碰撞变形及其他机械性损伤；

2 应检查分区控制阀动作是否正常；

3 应检查阀门上的铅封或锁链是否完好、阀门是否处于正确位置；

4 应检查储水箱和储水容器的水位及储气容器内的气体压力是否符合设计要求；

5 对于闭式系统，应利用试水阀对动作信号反馈情况进行试验，观察其是否正常动作和显示；

6 应检查喷头的外观及备用数量是否符合要求；

7 应检查手动操作装置的保护罩、铅封等是否完整无损。

6.0.9 每季度应对系统的下列项目进行一次检查：

1 应通过泄放试验阀对泵组系统进行一次放水试验，并应检查泵组启动、主备泵切换及报警联动功能是否正常；

2 应检查瓶组系统的控制阀动作是否正常；

3 应检查管道和支、吊架是否松动，以及管道连接件是否变形、老化或有裂纹等现象。

6.0.10 每年应对系统的下列项目进行一次检查：

1 应定期测定一次系统水源的供水能力；

2 应对系统组件、管道及管件进行一次全面检查，并应清洗储水箱、过滤器，同时应对控制阀后的管道进行吹扫；

3 储水箱应每半年换水一次，储水容器内的水应按产品制造商的要求定期更换；

4 应进行系统模拟联动功能试验，并应符合本规范第5.0.9条的规定。

附录A 细水雾灭火系统的实体火灾模拟试验

A.1 一般规定

A.1.1 实体火灾模拟试验的模型应保证火灾模型与实际工程应用的相似性，并应根据下列因素确定：

1 试验燃料应能代表实际保护对象的火灾特性；

2 试验空间应与实际防护区的空间几何特征相似；

3 试验空间的通风等环境条件应与实际工程的应用条件相似；

4 系统的模拟试验应用方式应与系统设计应用方式相同。

A.1.2 实体火灾模拟试验的引燃方式和预燃时间应与可能发生的火灾情况相似。

A.2 容积不大于260m³的设备室

Ⅰ 基本要求

A.2.1 模拟试验空间应符合下列要求：

1 试验空间应相对封闭，其长度、宽度和高度应根据实际防护区的空间确定，且高度不宜超过7.5m，长度不宜超过8.0m；

2 应在与设备模型平行的墙面上设置一道宽度为0.8m、高度为2.0m的门，门与墙角的距离宜为2.7m。除进行有遮挡的2MW喷雾火试验应将门置于开启状态外，其他试验均应将门置于关闭状态；

3 在细水雾喷放和灭火过程中，应保持试验空间的所有开口处于关闭状态。

A.2.2 防护空间内的设备可利用钢板模拟，并应符合下列要求：

1 应将一块1mm厚的钢板水平放置于试验空间中央的钢支柱上，宽度应为1.0m，长度宜与整个试验空间长度相同，距地面高度应为1.0m。在水平放置钢板的两侧应倾斜45°向上固定2块1mm厚的钢板，两侧钢板顶部的水平距离应为2.0m，顶部距地面均应为1.5m；

2 进行遮挡火试验时，应在水平放置钢板的正下方设置2块高度为1.0m、宽度为0.5m的挡板；

3 试验模型见图A.2.2。细水雾喷头宜布置在试验空间顶部。

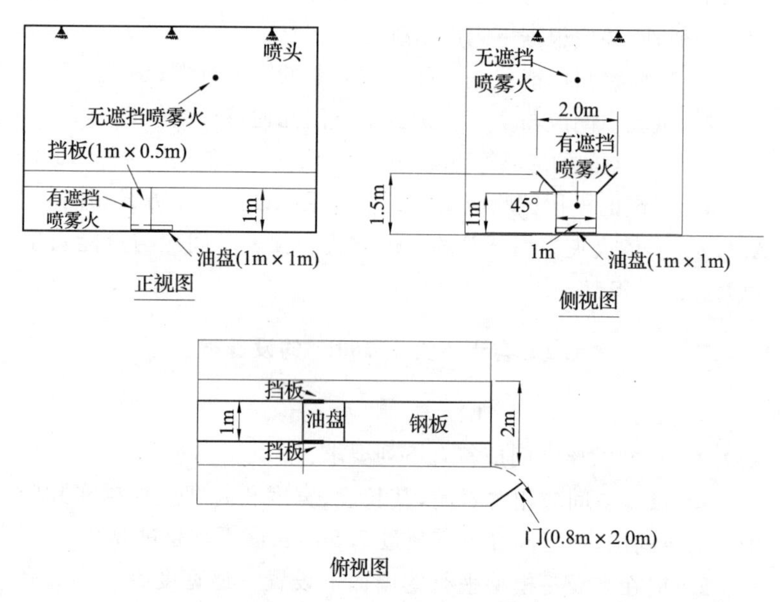

图A.2.2 试验空间和设备模型

A.2.3 模拟火源宜根据保护对象的火灾特性采用喷雾火或油盘火，并应符合下列要求：

1 当设备室内使用的可燃液体为丙类液体时，试验燃料宜采用0号柴油；

2 当设备室内使用的可燃液体为甲、乙类液体时，试验燃料宜采用正庚烷；

3 对于喷雾火，燃料喷嘴喷雾角度宜为80°，喷嘴前压力宜为 0.86MPa;对于 1MW 喷雾火,其燃料供给流量应为(0.03±0.005)kg/s;对于 2MW 喷雾火,其燃料供给流量应为(0.05±0.002)kg/s;

4 对于油盘火,试验油盘应为正方形,面积宜为 1.0m²,高宜为 100mm。油盘底部垫水后加入燃料,燃料层厚度不宜小于 20mm,液面距油盘上沿宜为 30mm。

A.2.4 模拟火源的布置应符合下列要求:

1 对于无遮挡喷雾火,燃料喷嘴宜设置在水平放置钢板的纵向中心线的上方。燃料喷嘴距钢板的高度宜为 0.3m～1.7m。试验时,喷雾火宜沿钢板纵向中心线方向水平喷射,试验布置见图 A.2.4-1;

2 对于有遮挡喷雾火,燃料喷嘴宜设置在水平放置钢板的下方,且应位于两块挡板中间的位置,距地面高度宜为 500mm。试验时,喷雾火宜朝对面墙壁的中心位置水平喷射,试验布置见图 A.2.4-1;

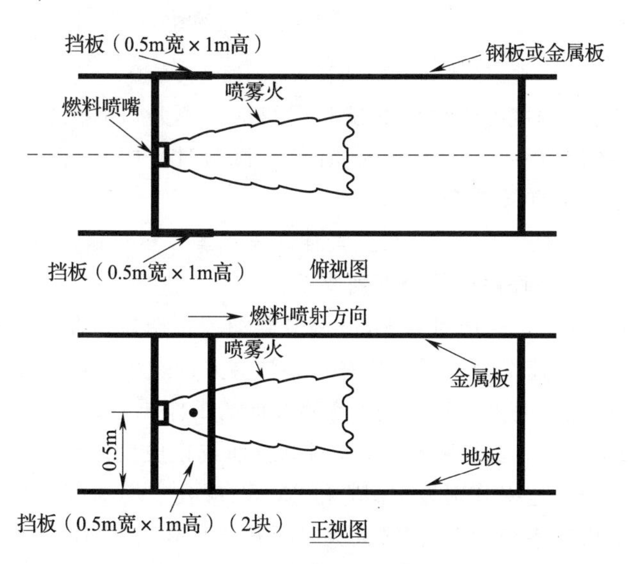

图 A.2.4-1 火源和遮挡喷雾火布置

3 对于油盘火，油盘宜设置在水平放置钢板下方的地面上，且位于两块挡板中间的位置，试验布置见图 A.2.4-2。

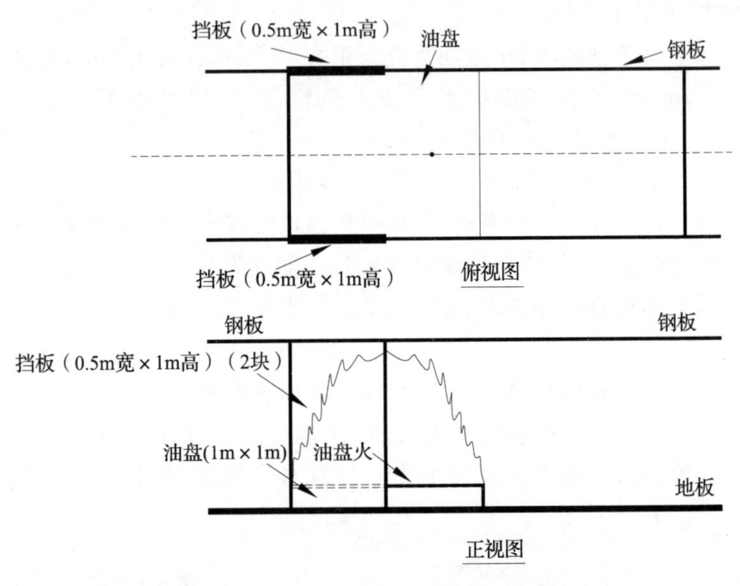

图 A.2.4-2 火源和遮挡油盘火布置

A.2.5 氧浓度测试仪应在试验空间内远离开口的位置设置，量程范围宜为 0～25%(V/V)。在整个试验过程中，试验空间内的氧气浓度不宜低于 16%。

Ⅱ 液压站、润滑油站、柴油发电机房和燃油锅炉房等

A.2.6 试验程序应符合下列要求：

1 对于无遮挡喷雾火，应调节柴油或正庚烷流量，并应使喷雾火热释放速率为 1MW；应在点燃油雾并预燃 15s 后手动启动系统，并应记录灭火时间和细水雾喷头前的工作压力；

2 对于有遮挡喷雾火，应调节柴油或正庚烷流量，并应使喷雾火热释放速率分别为 1MW 和 2MW；应在点燃油雾并预燃 15s 后手动启动系统，并应记录灭火时间和细水雾喷头前的工作压力；

3 对于油盘火，应在点燃油盘并预燃 30s 后手动启动系统，

并应记录灭火时间和细水雾喷头前的工作压力。

A.2.7 对于容积大于130m^3的设备室，尚应进行小试验空间内的有遮挡喷雾火试验，并应符合下列要求：

1 应在本规范第A.2.1条规定的试验空间内用垂直于水平放置钢板的隔板分隔出容积为130m^3的小试验空间，并应设置一道宽0.8m、高2.0m的门。试验过程中应保持门处于开启状态；

2 模拟火源应采用本规范第A.2.3条规定的2MW喷雾火，火源布置应符合本规范第A.2.4条第2款的要求；

3 试验应符合本规范第A.2.6条第2款的要求。试验过程中，当手动启动系统时，应只开启130m^3小试验空间内的细水雾喷头。

A.2.8 试验结果应符合下列要求：

1 从喷出细水雾至灭火的时间不应大于15min；

2 灭火后应无复燃现象；

3 灭火后应仍有剩余燃料。

Ⅲ 涡轮机房

A.2.9 涡轮机可利用钢板进行模拟，并应符合下列要求：

1 应将一块50mm厚的热轧钢板水平放置于四个钢支柱上，并应使钢板位于试验空间长边方向的中心线上。钢板尺寸应为1.0m×2.0m，距地高度应为1.0m。

应将2块1mm厚、宽度为1.0m的钢板也放置于钢支柱上，每块钢板的一侧宜与热轧钢板的一侧相接，另一侧宜延伸至对面的墙面并与该墙面垂直相接。

应在水平放置的钢板两侧倾斜45°向上固定2块1mm厚的钢板，两侧钢板顶部的水平距离应为2.0m，顶部距地面均应为1.5m；

2 进行遮挡火试验时，应在水平放置钢板的下方设置2块高度为1.0m、宽度为0.5m的挡板；

3 试验空间和涡轮机模型见图A.2.9。

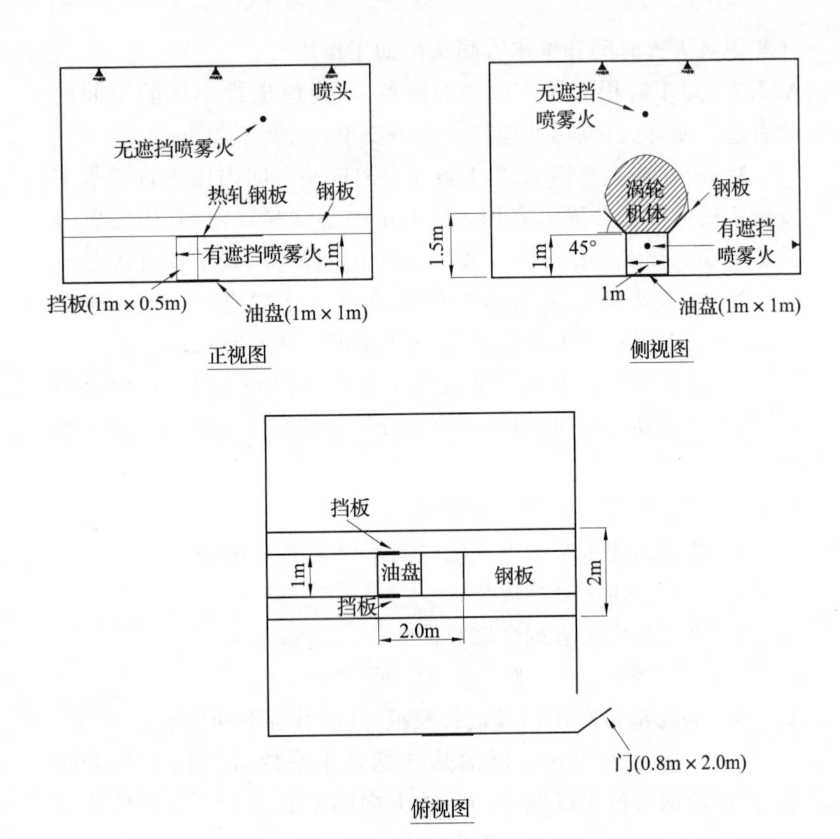

图 A.2.9　试验空间和涡轮机模型

A.2.10　涡轮机应进行模拟灭火试验,并应符合下列要求:

1　试验程序应符合本规范第 A.2.6 条的规定;

2　试验结果应符合本规范第 A.2.8 条的规定;

3　对于容积大于 $130m^3$ 的涡轮机房,尚应符合本规范第 A.2.7 条的规定。

A.2.11　涡轮机除应进行本规范第 A.2.10 条规定的模拟灭火试验外,尚应进行喷雾冷却试验,并应符合下列要求:

1　模拟火源宜采用 1MW 喷雾火。喷雾火宜位于 2 块挡板中央、涡轮机模型的下方,燃料喷嘴与水平面应成 30°角,且宜对准热轧钢板的中心喷射。试验布置见图 A. 2. 11-1。

2 在热轧钢板中央距离其上表面分别为 12mm、25mm 和 38mm 处宜各布置 1 个热电偶，热电偶具体布置位置见图 A. 2. 11-2。

3 试验时，应用喷雾火加热热轧钢板，在 3 个热电偶温度均达到 300℃ 时，应切断喷雾火并启动系统进行冷却，并应记录 15min 内的水平钢板温度变化曲线。试验中应分别按实际工程应用中细水雾喷头到燃气轮机的最大和最小距离，进行两次喷雾冷却试验。

4 在系统喷雾冷却的 15min 内，模拟涡轮机的部件不应造成损坏为合格。

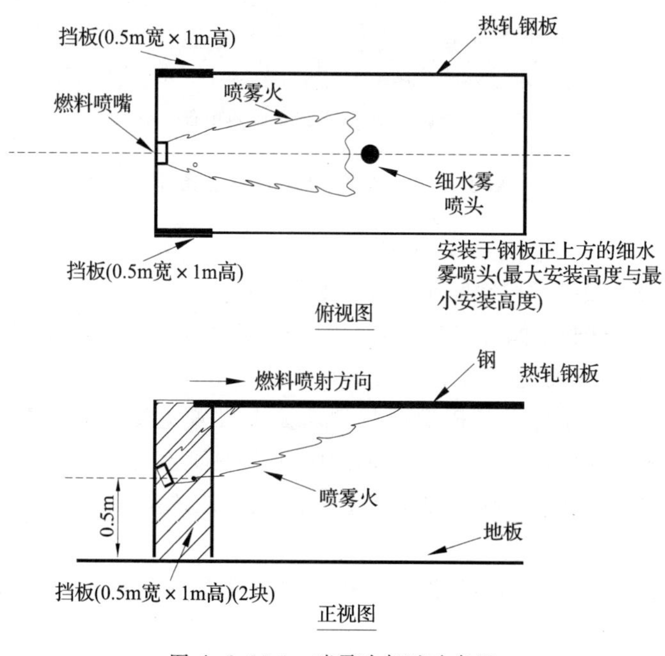

图 A. 2. 11-1 喷雾冷却试验布置

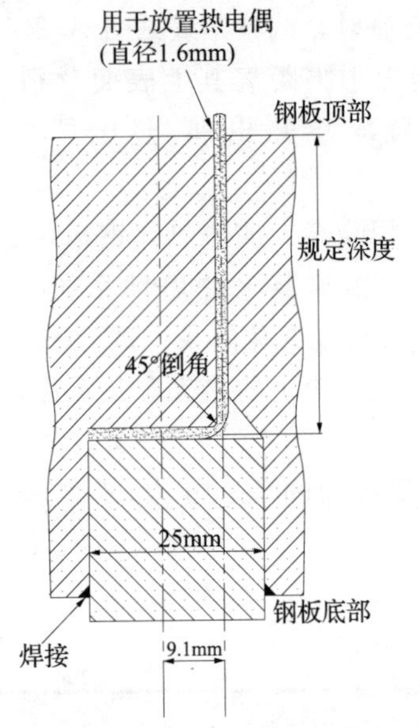

图 A. 2. 11-2 喷雾冷却试验热电偶布置

A. 3 容积大于 260m³ 的设备室

Ⅰ 基 本 要 求

A. 3. 1 模拟试验空间应符合下列要求：

1 试验空间应相对封闭，其长度、宽度和高度宜根据实际防护区的空间确定，且空间高度不宜超过 7.5m；

2 应在与设备模型平行的墙面上设置宽度和高度分别为 2.0m 的开口，开口宜位于墙面的中央，距地面宜为 0.5m；

3 在细水雾喷放和灭火过程中，应保持试验空间的所有开口处于关闭状态。

A. 3. 2 防护空间内的设备可利用钢板、钢管进行模拟，并应符合下列要求：

1 模型应由厚度为 5mm 的钢板制成，其长度应为 3.0m，宽度应为 1.0m，高度应为 3.0m；

2 模型上应设置 2 根直径均为 0.3m、长度均为 3.0m 的钢管和一块长度 3.5m、宽度 0.7m、厚 5mm 的挡板；

3 模型四周应设置钢板围挡，其长度应为 6.0m，宽度应为 4.0m，高度应为 0.75m；

4 模型下方应放置 1 个面积为 4.0m² 的正方形油盘，油盘高度宜为 0.25m；模型顶部应放置 1 个 1.0m×3.0m 的方形油盘，油盘高度宜为 100mm；

5 试验空间、设备模型和试验设施布置见图 A.3.2。

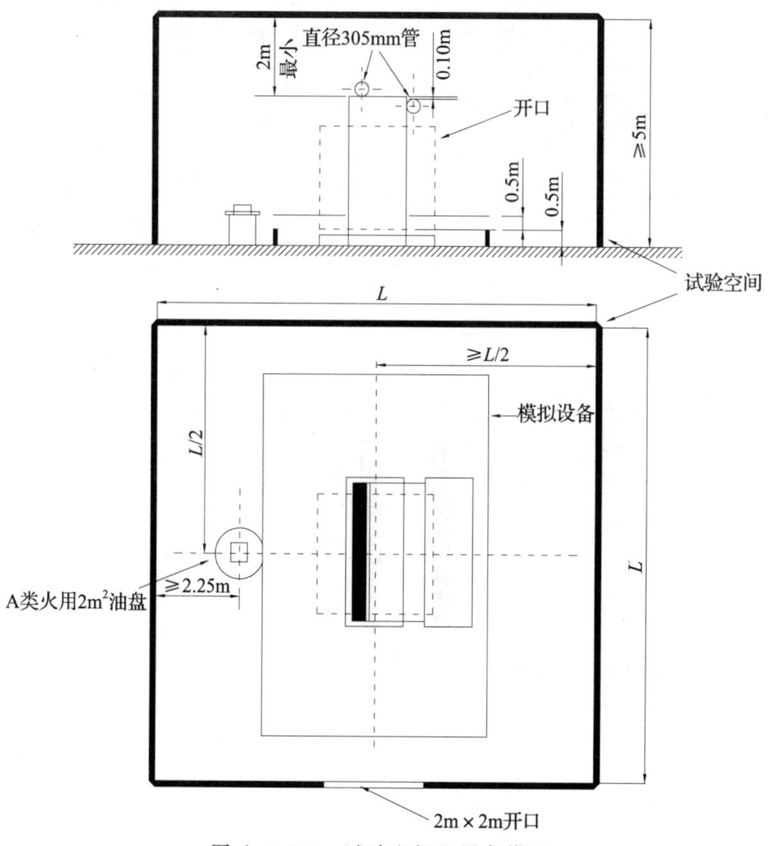

图 A.3.2-1 试验空间和设备模型

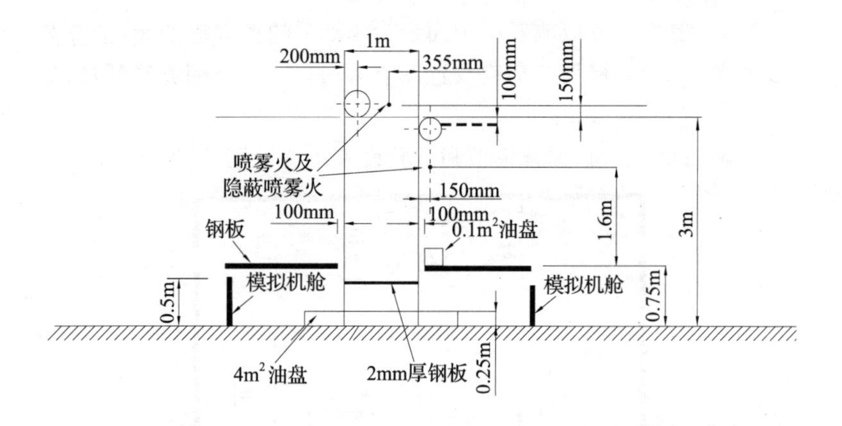
1m
200mm
355mm
100mm
150mm
喷雾火及
隐蔽喷雾火
150mm
100mm
100mm
0.1m^{2}油盘
钢板
1.6m
3m
模拟机舱
模拟机舱
0.5m
0.75m
4m^{2}油盘
2mm厚钢板
0.25m

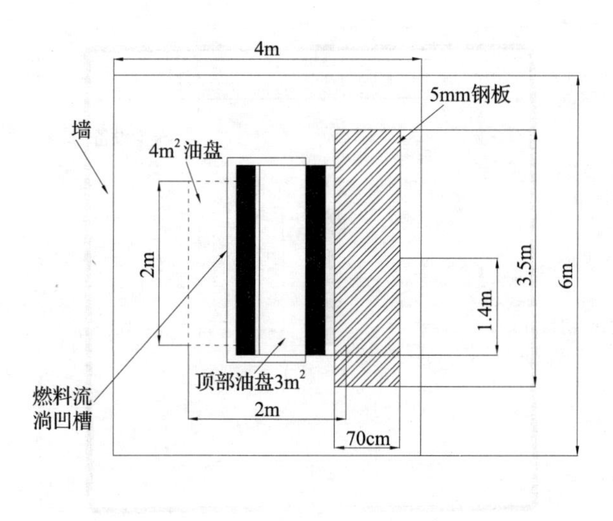
4m
5mm钢板
墙
4m^{2}油盘
2m
3.5m
6m
1.4m
燃料流
淌凹槽
顶部油盘3m^2
2m
70cm

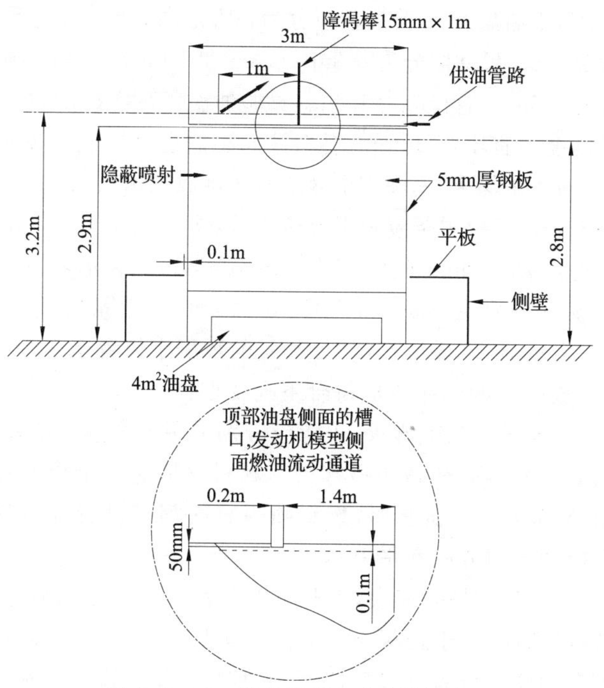

图 A.3.2-2 设备模型和试验设施布置

A.3.3 模拟火源宜根据保护对象的火灾特性采用喷雾火和(或)油盘火,并应符合下列要求:

1 燃料宜采用0号柴油和正庚烷。

2 对于喷雾火,其设置参数宜符合表A.3.3的要求。

表 A.3.3 喷雾火设置参数

压力类别	低压	低压低流量	高压
燃料喷嘴	全锥型宽喷雾角(120°～125°)	全锥型宽喷雾角(80°)	全锥型标准角(0.6MPa时)
燃料类型	柴油	柴油	柴油
公称油压(MPa)	0.82	0.86	15.0
燃料供给流量(kg/s)	0,16±0.01	0.03±0.005	0.05±0.002
燃料温度(℃)	20±10	20±10	20±10
热释放速率(MW)	5.8±0.6	1.1±0.1	1.8±0.2

3　对于油盘火，试验油盘应分为正方形和圆形。正方形油盘高度宜为100mm，尺寸应分为0.3m×0.3m和1.0m×1.0m。圆形油盘高度宜为180mm，直径应为1.6m。试验油盘底部经垫水后加入燃料，燃料层高度不宜小于20mm，燃料液面距油盘上沿宜为30mm。

4　对于木垛火，木垛应由8层整齐堆放的木条构成，每层应设置4根木条。每根木条应采用云杉、冷杉或密度相当的松木木条制作，长度宜为305mm，截面宜为38mm×38mm。木垛的长度、宽度和高度宜分别为350mm、305mm、305mm，重量宜为5.4kg～5.9kg。实验前，木垛应在(49±5)℃的环境中放置至少16h。

A.3.4　模拟火源的布置应符合下列要求：

1　对于无遮挡喷雾火，火源应分别采用符合本规范表A.3.3规定的低压喷雾火和高压喷雾火。燃料喷嘴应位于模型顶部(本规范图A.3.2-2)。试验时，燃料喷嘴宜面朝未设置开口的墙面，并宜沿模型长边方向水平喷射。

2　对于有遮挡喷雾火，火源应符合表A.3.3低压喷雾火的要求。燃料喷嘴应位于挡板下方(本规范图A.3.2-2)。试验时，燃料喷嘴宜面朝未设置开口的墙面，并宜沿模型长边方向水平喷射。

3　对于倾斜喷雾火，火源应符合表A.3.3低压喷雾火的要求。燃料喷嘴应位于模型顶部(图A.3.4)。喷嘴与模型上表面宜成45°喷射并冲击ϕ15mm的障碍棒。

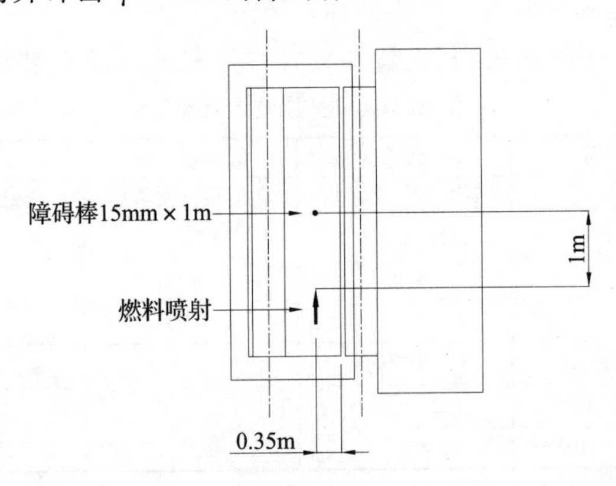

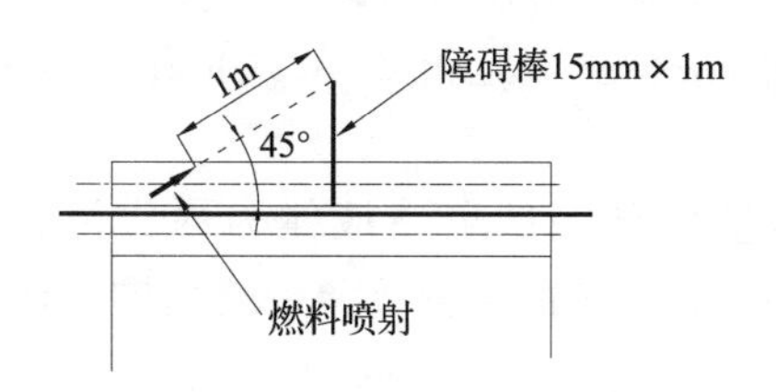

图 A.3.4　倾斜喷雾火的喷嘴布置位置

4　对于1MW有遮挡喷雾火和0.1m²油盘火，喷雾火应符合本规范表A.3.3低压低流量喷雾火的要求。油盘应为0.1m²的正方形油盘，燃料应采用柴油。燃料喷嘴和油盘的具体位置见本规范图A.3.2-2，试验时，燃料喷嘴宜朝向未设置开口的墙面，并宜沿模型长边方向水平喷射。

5　对于有遮挡油盘火，燃料应采用正庚烷，油盘应为1.0m²的正方形油盘，应放置在钢板围挡上，且应位于挡板的正下方。

6　对于木垛火和油盘火，木垛火应符合本规范第A.3.3条第4款的设置要求。油盘应为圆形油盘，燃料应采用正庚烷。油盘宜布置在距地面0.75m处(本规范图A.3.2-1)。试验时应将木垛放置于油盘的中心位置，燃料热释放速率宜为7.5MW。

7　对于流淌火，燃料应采用正庚烷，试验时应将燃料通过供油管路注入模型顶部的方形油盘内，并应使其以0.25kg/s的流速沿顶部油盘侧面的凹槽流出(本规范图A.3.2-2)。燃料热释放速率应为28MW。

A.3.5　氧浓度测试仪应在试验空间内远离开口的位置设置，量程范围宜为0～25%(V/V)。在整个试验过程中，试验空间内的氧气浓度不宜低于16%。

Ⅱ　液压站、润滑油站、柴油发电机房和燃油锅炉房等

A.3.6　细水雾喷头宜布置在试验空间内的上部。

A.3.7　模拟火源的选择应符合下列要求：

1 对于不存在立体喷射火危险的设备室，应选择本规范第A.3.4条第5～7款规定的模拟火源进行试验；对于存在立体喷射火危险的设备室，应按本规范第A.3.4条第1～7款规定的模拟火源进行试验。

2 当设备室内使用的可燃液体为丙类液体时，本规范第A.3.4条第5～7款规定的模拟火源中使用的正庚烷可用柴油代替。

A.3.8 试验程序应符合下列要求：

1 对于喷雾火，应在点燃油雾并预燃15s后手动启动系统，并应记录灭火时间和细水雾喷头前的工作压力；

2 对于1MW有遮挡喷雾火和0.1m^2油盘火，应先点燃油盘火，在其预燃105s后点燃油雾，并应在油雾火预燃15s后手动启动系统，同时应记录灭火时间和细水雾喷头前的工作压力；

3 对于有遮挡油盘火，应在点燃油盘并预燃15s后手动启动系统，并应记录灭火时间和细水雾喷头前的工作压力；

4 对于木垛火和油盘火，应在点燃油盘并预燃30s后手动启动系统，并应记录细水雾喷头前的工作压力；

5 对于流淌火，应在正庚烷溢出并顺着凹槽流淌下来后，点燃正庚烷并手动启动系统，并应记录灭火时间和细水雾喷头前的工作压力。

A.3.9 试验结果应符合下列要求：

1 对于喷雾火，从喷出细水雾至灭火的时间不应大于15min，且灭火后应无复燃现象；

2 对于1MW有遮挡喷雾火和0.1m^2油盘火，系统应能扑灭喷雾火并抑制油盘火，从喷出细水雾至灭火的时间不应大于15min，且灭火后应无复燃现象；

3 对于有遮挡油盘火，系统应能抑制油盘火；

4 对于木垛火和油盘火，系统应能扑灭油盘火和木垛火，从喷出细水雾至灭火的时间不应大于15min且灭火后无复燃现象；

5 对于流淌火，系统应能扑灭流淌火，从喷出细水雾至灭火的时间不应大于15min且灭火后无复燃现象。

Ⅲ 涡 轮 机 房

A.3.10 模拟灭火试验应符合下列要求：

1 应按本规范第A.3.4条第1～7款规定的模拟火源进行试验，并可用柴油代替正庚烷进行本规范第A.3.4条第5～7款的试验；

2 试验程序和试验结果应符合本规范第A.3.8和A.3.9条的规定。

A.3.11 喷雾冷却试验应采用本规范第A.2.9条规定的试验模型，并应按本规范第A.2.11条的要求进行。

A.4 电缆隧道和电缆夹层

A.4.1 电缆隧道模拟试验空间应符合下列要求：

1 试验空间高度宜大于2.75m，宽度不宜小于1.60m，隧道长度不应小于系统设计的最小保护长度；

2 试验宜在强制纵向通风的环境下进行。试验前应进行风速测量和调节，测量点应位于隧道人行通道的正中位置，测量点风速不应小于1m/s。

A.4.2 模拟试验中的电缆布置应符合下列要求：

1 试验空间内的电缆桥架不应少于8层，桥架的宽度不应小于600mm，相邻桥架层的间距不应小于200mm，最底层桥架距地面不应小于300mm，顶层桥架距隧道顶部不应小于200mm，桥架固定端距隧道侧墙不应小于200mm；

2 每层桥架上应按本规范表A.4.2的要求放置电缆，其外护层应为不阻燃的聚乙烯、聚丙烯或类似可燃材料；

3 较大直径的电缆宜放置在较低的电缆桥架上，各层的电缆数量宜符合表A.4.2的规定；

表 A.4.2 电缆数量

桥　架　数	电缆外径(mm)	电缆数量(根)
1(顶层)	≤12	40
2	12～14	40
3	14～20	40
4	14～20	30
5	20～30	30
6	20～30	15
7	30～40	10
8(底层)	>40	5

4 电缆或电缆桥架可根据工程的具体情况在隧道中单排或双排设置。试验空间和试验布置见图 A.4.2。

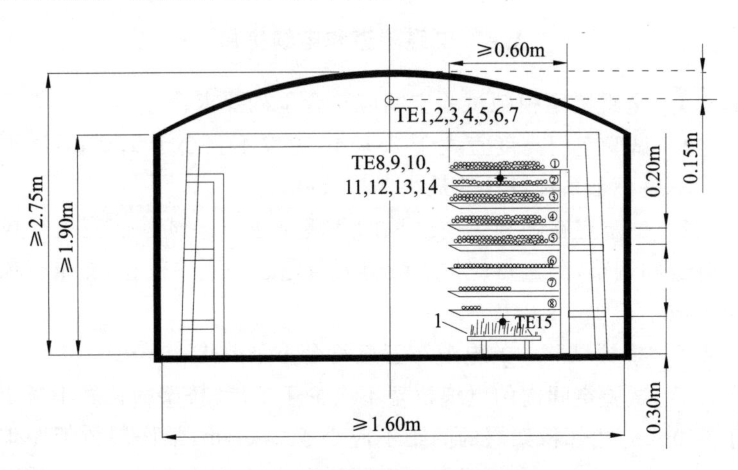

图 A.4.2 电缆隧道试验空间和试验布置

TE—热电偶；1—气体燃烧器；2—压力传感器

A.4.3 模拟火源应符合下列要求：

1 燃料应采用丙烷；

2 引燃电缆的燃烧器应采用热释放速率为(250±25)kW 的气体燃烧器；

3 燃烧器应置于最下层电缆桥架下，并宜位于两只细水雾喷头之间。

A.4.4 在气体燃烧器正上方应布置1个测量温度的热电偶，并应在空间中央吊顶下150mm处和自顶部向下第二层电缆桥架中央，每间隔2.5m分别设置2组热电偶；当风速大于2m/s时，尚应在自顶部向下第四层电缆桥架中央增设1组热电偶。热电偶布置位置见图A.4.4。

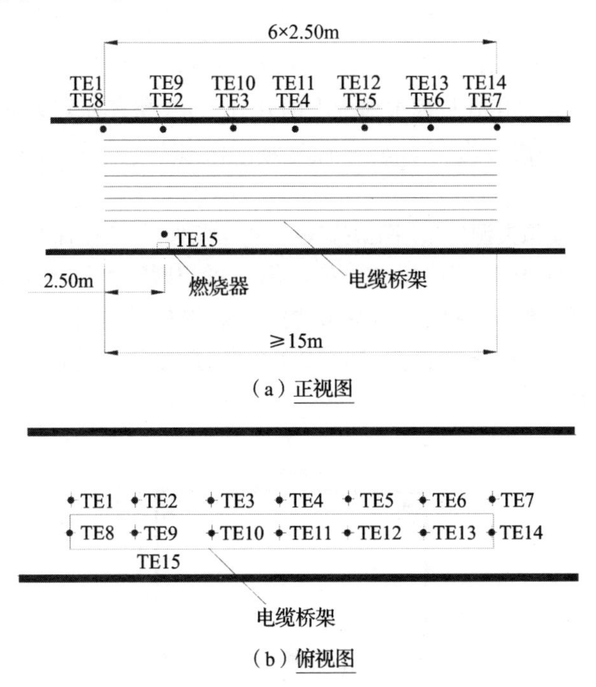

(a) 正视图

(b) 俯视图

图A.4.4 试验热电偶布置

A.4.5 试验时，应点燃气体燃烧器并预燃5min后手动启动系统，并应保持喷雾15min后关闭系统。试验过程中，应记录灭火时间、热电偶温度曲线和细水雾喷头前的工作压力。试验结果应符合下列要求：

1 喷出细水雾5min后，测温点5s内平均值不应大于100℃；

2　从喷出细水雾至灭火的时间不应大于15min；

3　灭火后应无复燃现象且电缆两端的燃烧剩余长度不应小于0.5m。

A.5　电子信息系统机房的地板夹层空间

A.5.1　模拟试验空间应符合下列要求：

1　试验空间的高度宜按实际工程应用的设计保护高度确定，面积宜为50m^2；

2　试验空间上部可利用0.6m×0.6m的钢板和部分孔板模拟机房地板。采用孔板模拟地板上的开口，其开孔直径宜为6mm，孔中心间的距离宜为25mm，开孔总面积宜为1.82×$10^4$$mm^2$或地板总面积的5%。

A.5.2　模拟火源应采用正庚烷罐火和电缆火，并应符合下列要求：

1　对于正庚烷罐火，宜采用7个内径为76mm、高度为127mm的罐，罐内应加入正庚烷，正庚烷的液面距罐上沿应为50mm。正庚烷罐应按图A.5.2-1的要求放置。试验时，应在夹层地板的中央设置1块挡板；

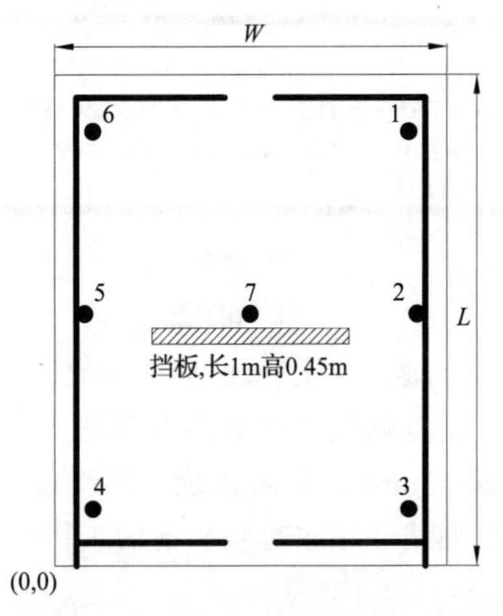

图A.5.2-1　油罐火位置

2　对于电缆火，应采用 25 根单根长为 770mm、外径为 16mm 的六芯 PVC 外套电缆，并应与 4 个单个功率为 925W 的加热管相连接。电缆应敷设在模拟电缆线槽内，线槽的平板厚应为 13mm，平板两侧应设置 2 块长度、高度分别为 1.0m、0.46m 的挡板。试验布置见图 A.5.2-2。

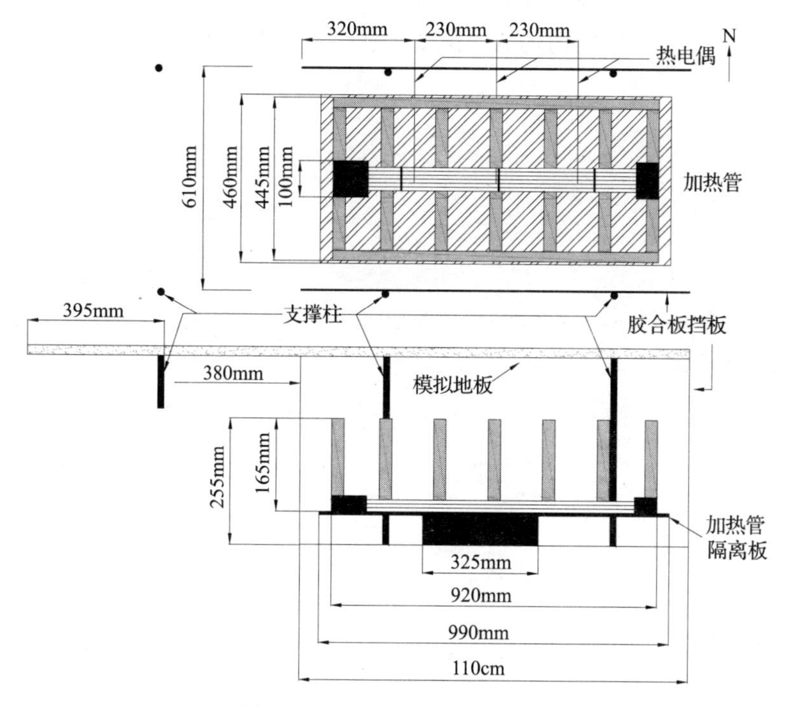

图 A.5.2-2　电缆火燃烧物示意

A.5.3　氧浓度测试仪应设置在试验空间内，其量程范围宜为 0～25%(V/V)。

A.5.4　试验程序应符合下列要求：

1　对于正庚烷罐火，应点燃正庚烷罐并预燃 120s 后手动启动系统，并应记录灭火时间和细水雾喷头前的工作压力；

2　对于电缆火，应采用加热管加热点燃电缆，并应在产生明火后关闭加热管，预燃 120s 后应手动启动系统，并应记录灭火时间和细水雾喷头前的工作压力。

A.5.5 试验结果应符合下列要求：

1 从喷出细水雾至灭火的时间不应大于 5min；

2 灭火后应无复燃现象；

3 灭火后应仍有剩余燃料；

4 试验空间内的氧气浓度不宜低于 16%。

附录B 细水雾灭火系统工程划分

表B 细水雾灭火系统分部工程、子分部工程、分项工程划分

分部工程	序号	子分部工程	分项工程
细水雾灭火系统	1	进场检验	材料进场检验
			系统组件进场检验
	2	系统安装	储水、储气瓶组的安装、泵组及控制柜的安装、阀组安装、管道管件安装、喷头安装
			系统管道冲洗、水压试验、吹扫
	3	系统调试	泵组调试、分区控制阀调试、联动试验
	4	系统验收	灭火系统施工质量验收
			系统功能验收

附录C 细水雾灭火系统施工现场质量管理检查记录

表C 施工现场质量管理检查记录

<table>
<tr><td>工程名称</td><td colspan="4"></td></tr>
<tr><td>建设单位</td><td colspan="2"></td><td>监理单位</td><td></td></tr>
<tr><td>设计单位</td><td colspan="2"></td><td>项目负责人</td><td></td></tr>
<tr><td>施工单位</td><td colspan="2"></td><td>施工许可证</td><td></td></tr>
<tr><td>序号</td><td colspan="2">项　　目</td><td colspan="2">内　　容</td></tr>
<tr><td></td><td colspan="2">现场质量管理制度</td><td colspan="2"></td></tr>
<tr><td></td><td colspan="2">质量责任制</td><td colspan="2"></td></tr>
<tr><td></td><td colspan="2">主要专业工种人员操作上岗证书</td><td colspan="2"></td></tr>
<tr><td></td><td colspan="2">施工图审查情况</td><td colspan="2"></td></tr>
<tr><td></td><td colspan="2">施工组织设计、施工方案及审批</td><td colspan="2"></td></tr>
<tr><td></td><td colspan="2">施工技术标准</td><td colspan="2"></td></tr>
<tr><td></td><td colspan="2">工程质量检验制度</td><td colspan="2"></td></tr>
<tr><td></td><td colspan="2">现场材料、设备管理</td><td colspan="2"></td></tr>
<tr><td></td><td colspan="2">其他</td><td colspan="2"></td></tr>
<tr><td>结论</td><td>施工单位项目负责人：
（签章）
年　月　日</td><td colspan="2">监理工程师：
（签章）
年　月　日</td><td>建设单位项目负责人：
（签章）
年　月　日</td></tr>
</table>

附录D 细水雾灭火系统施工过程质量检查记录

D.0.1 系统施工过程中的进场检验记录应由施工单位质量检查员按表D.0.1填写，并应由监理工程师进行检查，同时应做出检查结论。

表D.0.1 细水雾灭火系统施工进场检验记录

<table>
<tr><td colspan="2">工程名称</td><td></td><td>施工单位</td><td></td></tr>
<tr><td colspan="2">施工执行规范名称及编号</td><td></td><td>监理单位</td><td></td></tr>
<tr><td colspan="2">子分部工程名称</td><td colspan="3">进 场 检 验</td></tr>
<tr><td colspan="2">分项工程名称</td><td>本规范要求</td><td>施工单位检查记录及评定</td><td>监理单位验收记录</td></tr>
<tr><td colspan="2" rowspan="4">材料进场检验</td><td>第4.2.1条</td><td></td><td></td></tr>
<tr><td>第4.2.2条</td><td></td><td></td></tr>
<tr><td>第4.2.3条</td><td></td><td></td></tr>
<tr><td>第4.2.4条</td><td></td><td></td></tr>
<tr><td colspan="2" rowspan="5">系统组件
进场检验</td><td>第4.2.1条</td><td></td><td></td></tr>
<tr><td>第4.2.5条</td><td></td><td></td></tr>
<tr><td>第4.2.6条</td><td></td><td></td></tr>
<tr><td>第4.2.7条</td><td></td><td></td></tr>
<tr><td>第4.2.8条</td><td></td><td></td></tr>
<tr><td>结论</td><td colspan="2">施工单位项目负责人：
（签章）
年 月 日</td><td colspan="2">监理工程师：
（签章）
年 月 日</td></tr>
</table>

注：对材料和系统组件有复验要求或对其质量有疑义时，应由监理工程师抽样，并由具有相应资质的检测单位进行检测复验，其复验结果应符合国家现行产品标准和设计要求。

D.0.2 系统施工过程中的安装质量检查记录应由施工单位质量检查员按表D.0.2填写，并应由监理工程师进行检查，同时应做出检查结论。

表 D.0.2　细水雾灭火系统安装质量检查记录

工程名称		施工单位	
施工执行规范名称及编号		监理单位	
子分部工程名称	系统安装		
分项工程名称	本规范要求	施工单位检查记录及评定	监理单位验收记录
储水、储气瓶组的安装	第4.3.3条第1款		
	第4.3.3条第2款		
	第4.3.3条第3款		
泵组及控制柜的安装	第4.3.4条第1款		
	第4.3.4条第2款		
	第4.3.5条第1款		
	第4.3.5条第2款		
	第4.3.5条第3款		
阀组的安装	第4.3.6条第1款		
	第4.3.6条第2款		
	第4.3.6条第3款		
	第4.3.6条第4款		
管道的安装	第4.3.7条第1款		
	第4.3.7条第2款		
	第4.3.7条第3款		
	第4.3.7条第4款		
	第4.3.7条第5款		
喷头的安装	第4.3.11条第1款		
	第4.3.11条第2款		
	第4.3.11条第3款		
	第4.3.11条第4款		
	第4.3.11条第5款		
结论	施工单位项目负责人： （签章） 年　月　日	监理工程师： （签章） 年　月　日	

D.0.3 系统施工过程中的管道冲洗记录应由施工单位质量检查员按表D.0.3填写，并应由监理工程师进行检查，同时应做出检查结论。

表D.0.3　细水雾灭火系统管网冲洗记录

工程名称					建设单位		
施工单位					监理单位		
管段号	材质	冲　洗					结论意见
		介质	压力(MPa)	流速(m/s)	流量(L/s)	冲洗次数	
结论	施工单位项目负责人： （签章） 年　月　日			监理工程师： （签章） 年　月　日			建设单位项目负责人： （签章） 年　月　日

D.0.4 系统施工过程中的试压记录应由施工单位质量检查员按表D.0.4填写，并应由监理工程师进行检查，同时应做出检查结论。

表 D.0.4 细水雾灭火系统试压记录

工程名称				建设单位		
施工单位				监理单位		
管段号	材质	设计工作压力（MPa）	温度（℃）	压力试验		
				介质	压力（MPa）	时间（min）	结论意见
结论	施工单位项目负责人： （签章） 年　月　日			监理工程师： （签章） 年　月　日		建设单位项目负责人： （签章） 年　月　日	

D.0.5 系统施工过程中的隐蔽工程验收记录应由施工单位质量检查员按表D.0.5填写，并应由监理工程师进行检查，同时应做出检查结论。

表D.0.5 细水雾灭火系统隐蔽工程验收记录

<table>
<tr><td>工程名称</td><td colspan="10"></td></tr>
<tr><td>建设单位</td><td colspan="4"></td><td colspan="2">设计单位</td><td colspan="4"></td></tr>
<tr><td>监理单位</td><td colspan="4"></td><td colspan="2">施工单位</td><td colspan="4"></td></tr>
<tr><td rowspan="2">管段号</td><td colspan="4">设计参数</td><td colspan="4">压力试验</td><td colspan="2">防腐</td></tr>
<tr><td>管径</td><td>材料</td><td>介质</td><td>压力(MPa)</td><td>介质</td><td>压力(MPa)</td><td>时间(min)</td><td>结果</td><td>等级</td><td>结果</td></tr>
<tr><td></td><td></td><td></td><td></td><td></td><td></td><td></td><td></td><td></td><td></td><td></td></tr>
<tr><td></td><td></td><td></td><td></td><td></td><td></td><td></td><td></td><td></td><td></td><td></td></tr>
<tr><td></td><td></td><td></td><td></td><td></td><td></td><td></td><td></td><td></td><td></td><td></td></tr>
<tr><td></td><td></td><td></td><td></td><td></td><td></td><td></td><td></td><td></td><td></td><td></td></tr>
<tr><td></td><td></td><td></td><td></td><td></td><td></td><td></td><td></td><td></td><td></td><td></td></tr>
<tr><td></td><td></td><td></td><td></td><td></td><td></td><td></td><td></td><td></td><td></td><td></td></tr>
<tr><td>隐蔽前的检查</td><td colspan="10"></td></tr>
<tr><td>隐蔽方法</td><td colspan="10"></td></tr>
<tr><td>简图或说明</td><td colspan="10"></td></tr>
<tr><td>结论</td><td colspan="3">施工单位项目负责人：
（签章）
年 月 日</td><td colspan="4">监理工程师：
（签章）
年 月 日</td><td colspan="3">建设单位项目负责人：
（签章）
年 月 日</td></tr>
</table>

D.0.6 系统施工过程中的系统调试记录应由施工单位质量检查员按表D.0.6填写，并应由监理工程师进行检查，同时应做出检查结论。

表D.0.6 细水雾灭火系统调试记录

<table>
<tr><td colspan="2">工程名称</td><td></td><td>施工单位</td><td></td></tr>
<tr><td colspan="2">施工执行规范名称及编号</td><td></td><td>监理单位</td><td></td></tr>
<tr><td>子分部工程名称</td><td colspan="4">系 统 调 试</td></tr>
<tr><td>分项工程名称</td><td>本规范要求</td><td colspan="2">施工单位
检查记录及评定</td><td>监理单位验收记录</td></tr>
<tr><td rowspan="5">泵组调试</td><td>第4.4.3条第1款</td><td colspan="2"></td><td></td></tr>
<tr><td>第4.4.3条第2款</td><td colspan="2"></td><td></td></tr>
<tr><td>第4.4.3条第3款</td><td colspan="2"></td><td></td></tr>
<tr><td>第4.4.3条第4款</td><td colspan="2"></td><td></td></tr>
<tr><td>第4.4.4条</td><td colspan="2"></td><td></td></tr>
<tr><td rowspan="2">控制阀调试</td><td>第4.4.5条第1款</td><td colspan="2"></td><td></td></tr>
<tr><td>第4.4.5条第2款</td><td colspan="2"></td><td></td></tr>
<tr><td rowspan="6">联动试验</td><td>第4.4.6条</td><td colspan="2"></td><td></td></tr>
<tr><td>第4.4.7条第1款</td><td colspan="2"></td><td></td></tr>
<tr><td>第4.4.7条第2款</td><td colspan="2"></td><td></td></tr>
<tr><td>第4.4.7条第3款</td><td colspan="2"></td><td></td></tr>
<tr><td>第4.4.8条</td><td colspan="2"></td><td></td></tr>
<tr><td>第4.4.9条</td><td colspan="2"></td><td></td></tr>
<tr><td>结论</td><td>施工单位项目负责人：
（签章）
年 月 日</td><td colspan="3">监理工程师：
（签章）
年 月 日</td></tr>
</table>

附录E　细水雾灭火系统工程质量控制资料核查记录

表E　细水雾灭火系统工程质量控制资料核查记录

<table>
<tr><td>工程名称</td><td colspan="2"></td><td>施工单位</td><td colspan="2"></td></tr>
<tr><td>分部工程名称</td><td colspan="2">资料名称</td><td>数量</td><td>核查意见</td><td>核查人</td></tr>
<tr><td rowspan="6">细水雾灭火系统</td><td colspan="2">验收申请报告、设计施工图、设计变更文件、竣工图</td><td></td><td></td><td></td></tr>
<tr><td colspan="2">主要系统组件和材料的符合国家标准的有效证明文件和产品出厂合格证</td><td></td><td></td><td></td></tr>
<tr><td colspan="2">系统及其主要组件的安装使用和维护说明书</td><td></td><td></td><td></td></tr>
<tr><td colspan="2">施工许可证(开工证)和施工现场质量管理检查记录</td><td></td><td></td><td></td></tr>
<tr><td colspan="2">系统施工进场检验、安装质量检查系统调试等施工过程质量检查记录和施工事故处理报告</td><td></td><td></td><td></td></tr>
<tr><td colspan="2">系统试压记录、管网冲洗记录和隐蔽工程验收记录</td><td></td><td></td><td></td></tr>
<tr><td>结论</td><td>施工单位项目负责人：
(签章)
年　月　日</td><td colspan="2">监理工程师：
(签章)
年　月　日</td><td colspan="2">建设单位项目负责人：
(签章)
年　月　日</td></tr>
</table>

附录F 细水雾灭火系统工程验收记录

表F 细水雾灭火系统工程验收记录

<table>
<tr><td colspan="2">工程名称</td><td></td><td>施工单位</td><td></td></tr>
<tr><td colspan="2">施工执行规范名称及编号</td><td></td><td>监理单位</td><td></td></tr>
<tr><td colspan="2">项目负责人</td><td></td><td>监理工程师</td><td></td></tr>
<tr><td colspan="2">子分部工程名称</td><td colspan="3">系统验收</td></tr>
<tr><td colspan="2">分项工程名称</td><td>本规范要求</td><td>验收内容记录</td><td>验收评定结果</td></tr>
<tr><td colspan="2" rowspan="6">灭火系统施工质量验收</td><td>第5.0.3条</td><td></td><td></td></tr>
<tr><td>第5.0.4条</td><td></td><td></td></tr>
<tr><td>第5.0.5条</td><td></td><td></td></tr>
<tr><td>第5.0.6条</td><td></td><td></td></tr>
<tr><td>第5.0.7条</td><td></td><td></td></tr>
<tr><td>第5.0.8条</td><td></td><td></td></tr>
<tr><td colspan="2" rowspan="2">系统功能验收</td><td>第5.0.9条</td><td></td><td></td></tr>
<tr><td>第5.0.10条</td><td></td><td></td></tr>
<tr><td colspan="2">综合验收结论</td><td colspan="3"></td></tr>
<tr><td rowspan="2">验收单位</td><td>建设单位</td><td>施工单位</td><td>监理单位</td><td>设计单位</td></tr>
<tr><td>（公章）
项目负责人：
（签章）
年 月 日</td><td>（公章）
项目负责人：
（签章）
年 月 日</td><td>（公章）
总监理工程师：
（签章）
年 月 日</td><td>（公章）
项目负责人：
（签章）
年 月 日</td></tr>
</table>

附录G 细水雾灭火系统维护管理工作检查项目

G.0.1 系统的维护管理工作检查项目宜按表G.0.1的要求进行。

表G.0.1 系统的维护管理工作检查项目

部　　位	工作内容	周期
控制阀	目测巡检完好状况及开闭状态	每日1次
主备电源	接通状态，电压	
报警控制装置	巡检完好、控制面板显示信号状态	
系统各标识	检查标识清晰、完整情况及位置	
设置储水设备的房间	检查室温	冬季每日1次
系统组件	检查外观完好情况	每月1次
分区控制阀	动作试验	
系统所有控制阀门	检查阀门位置，铅封、锁链完好状况	
储水箱、储水、储气容器	检测储水水位及储气压力	
试水阀	放水试验，检查动作信号反馈情况	
喷头	检查完好状况、清除异物、备用量	
手动操作装置	保护罩、铅封等	
泄放试验阀	放水试验、检查启动性能、报警联动情况	每季度1次
瓶组系统控制阀	检查动作情况	
管道、支、吊架和连接件	外观和牢固程度	

续表 G.0.1

部　　位	工 作 内 容	周期
水源	开启消防泵手动测试阀,测试供水能力	每年度1次
储水箱、过滤器、管道管件等系统组件	检查完好状态、清洗、排渣	
控制阀后管道	吹扫	
储水箱、储水容器等储水设备	进行储存水的定期更换	
系统模拟联动功能试验	系统运行功能	

G.0.2 系统在定期检查和试验后宜按表 F.0.2 的要求填写维护管理记录。

表 G.0.2 系统在定期检查和试验后的维护管理记录

使用单位						
防护区/保护对象						
检查类别（月检/季检/年检）						
检查日期	检查项目	检查、试验内容	结果	存在问题及处理情况	检查人（签字）	负责人（签字）
备注						

注：1　检查项目栏内应根据系统选择的具体设备进行填写。

2　结果栏内填写合格、部分合格、不合格。

本规范用词说明

1 为便于在执行本规范条文时区别对待，对要求严格程度不同的用词说明如下：

1)表示很严格，非这样做不可的：

正面词采用“必须”，反面词采用“严禁”；

2)表示严格，在正常情况下均应这样做的：

正面词采用“应”，反面词采用“不应”或“不得”；

3)表示允许稍有选择，在条件许可时首先应这样做的：

正面词采用“宜”，反面词采用“不宜”；

4)表示有选择，在一定条件下可以这样做的，采用“可”。

2 条文中指明应按其他有关标准执行的写法为：“应符合……的规定”或“应按……执行”。

引用标准名录

《火灾自动报警系统设计规范》GB 50116

《火灾自动报警系统施工及验收规范》GB 50166

《机械设备安装工程施工及验收通用规范》GB 50231

《工业金属管道工程施工规范》GB 50235

《现场设备、工业管道焊接工程施工规范》GB 50236

《风机、压缩机、泵安装工程施工及验收规范》GB 50275

《气焊、焊条电弧焊、气体保护焊和高能束焊的推荐坡口》GB/T 985.1

《生活饮用水卫生标准》GB 5749

《流体输送用不锈钢焊接钢管》GB/T 12771

《流体输送用不锈钢无缝钢管》GB/T 14976

《瓶(桶)装饮用纯净水卫生标准》GB 17324

《不锈钢和耐热钢　牌号及化学成分》GB/T 20878

《细水雾灭火系统及部件通用技术条件》GB/T 26785

中华人民共和国国家标准

细水雾灭火系统技术规范

GB 50898-2013

条 文 说 明

制 订 说 明

《细水雾灭火系统技术规范》GB 50898—2013，经住房城乡建设部2013年6月8日以第54号公告批准发布。

本规范制订过程中，编制组对国内细水雾灭火系统的设计、施工及验收现状开展了调查研究，总结了我国细水雾灭火系统工程应用的实践经验，同时认真研究和消化吸收了国外先进技术标准及实体火灾模拟试验成果，开展了必要的技术研讨和试验，并广泛征求有关单位的意见，最后经有关部门共同审查定稿。

为便于细水雾灭火系统的设计、施工、验收和监督等部门的有关人员在使用本规范时能正确理解和执行条文规定，《细水雾灭火系统技术规范》编制组按章、节、条顺序编制了本规范的条文说明，对条文规定的目的、依据及执行中需要注意的有关事项进行了说明，还着重对强制性条文的强制性理由作了解释。但是，本条文说明不具备与规范正文同等的法律效力，仅供使用者作为理解和把握规范规定的参考。

目　　录

1 总 则

1.0.1 本条规定了制定本规范的目的。

细水雾灭火系统主要以水为灭火介质，采用特殊喷头在压力作用下喷洒细水雾进行灭火或控火，是一种灭火效能较高、环保、适用范围较广的灭火系统。该系统最早于20世纪40年代用于轮船灭火。20世纪90年代，国际海事组织（IMO）要求客轮均须安装自动喷水灭火系统或者与其等效的其他灭火系统；同时，蒙特利尔议定书要求逐步停止哈龙灭火剂的生产并严格限制其使用范围，使得细水雾灭火系统的开发和应用日益受到重视。进入20世纪末，细水雾灭火系统得到了迅速发展，逐步成为国际上应用广泛的哈龙灭火系统的替代系统之一。

在细水雾灭火系统的研究与应用方面，欧美起步较早，系统广泛应用于船舶、舰艇、变电站、电信设备、图书馆、档案馆、银行、实验室等场所。我国于20世纪90年代末开始进行细水雾灭火系统的研发和试验工作，并被列为国家“九五”科技攻关项目。现在，我国的细水雾灭火系统正处于国外产品进入、国内产品跟进的发展阶段，还有很大的提升和进一步完善的空间，在洁净气体灭火系统替代场所和传统自动喷水灭火系统应用中对水量、水渍损失等要求较高的场所，有较好的应用前景，且对扑灭在有限封闭空间内发生的较大规模的可燃液体火灾有较好的效果。

在技术标准方面，美国消防协会于2000年正式出版了NFPA 750《细水雾灭火系统标准》，现已更新为2015版。该标准对细水雾的概念、系统类型、系统构成和适用范围等进行了阐述和界定。欧盟出版了CEN/TS 14972:2006《固定灭火系统—细水雾灭火系统设计安装标准》，现已更新至2011版。FM出版了

FM5560《细水雾灭火系统认证标准》，现已更新为 2015 版。在国内，北京、广东、江苏、河南等十几个省市也先后制定了细水雾灭火系统设计、施工及验收的地方标准。

为此，需要制定一项国家标准来规范和指导细水雾灭火系统的设计、施工和验收，以保证该系统的设计、施工质量，保障其正常运行。

1.0.2 本条规定了本规范的适用范围。

作为一项自动灭火系统，细水雾灭火系统可以用于任何适用采用该系统进行灭火、控火的场所。本规范规定涉及细水雾灭火系统的设计、施工、验收及维护管理等各方面。

1.0.3 本条规定了细水雾灭火系统适用和不适用扑救的火灾类型。

细水雾灭火系统的灭火机理是依靠水雾化成细小的雾滴，充满整个防护空间或包裹并充满保护对象的空隙，通过冷却、窒息等方式进行灭火。和传统的自动喷水灭火系统相比，细水雾灭火系统用水量少、水渍损失小、传递到火焰区域以外的热量少，可用于扑救带电设备火灾和可燃液体火灾。和气体灭火系统相比，细水雾对人体无害、对环境无影响，有很好的冷却、隔热作用和烟气洗涤作用，其水源更容易获取，灭火的可持续能力强，还可以在一定的开口条件下使用。这些优点使得细水雾灭火系统有着广泛的适用范围，能够用于扑救可燃固体、可燃液体及电气火灾。

由于细水雾雾滴粒径较小，不容易润湿可燃物表面，所以细水雾对可燃固体深位火灾的灭火效果不佳。同时，对于室外场所，由于风力等环境气候条件的不确定，可能影响系统的灭火、控火效果，因此目前规范规定细水雾灭火系统适用于相对封闭的空间。

细水雾灭火系统以水为介质，因此不能用于保护遇水发生燃烧或爆炸等剧烈反应的物质，包括：锂、钾、钠、镁等活泼金属，过氧化钾、过氧化钠、过氧化镁、过氧化钡等过氧化物，碳化钠、碳化钙、碳化铝等碳化物，氨化钠等金属氨化物，氯化铝等卤化物，卤化磷等卤化物，硅烷、硫化物和氰酸盐等。同时，由于液化天然气等气体在吸收水的热量后会剧烈沸腾，细水雾灭火系统也不能直接用于保护处在低温状态下的液化气体。

1.0.4 本条规定了细水雾灭火系统设计的基本原则。

细水雾灭火系统的设计要充分考虑保护对象的实际情况，如火灾特性、空间几何特征、环境条件等，同时也要遵循国家有关方针政策，兼顾安全性与经济性。

由于细水雾灭火系统的自身特点，本规范更趋向于针对实际工程的个体特性，通过试验的方式来确定相关设计参数并完成设计的性能化设计方法。

1.0.5 细水雾灭火系统的设置，除本规范中已注明的以外，还要求同时执行下列标准的相关规定：现行国家标准《建筑设计防火规范》GB 50016 等有关建筑防火标准，现行国家标准《细水雾灭火系统及部件通用技术条件》GB/T 26785 等有关产品标准以及现行国家标准《工业金属管道工程施工规范》GB 50235 等有关施工验收标准和管道材质等其他相关标准。

2　术语和符号

2.1　术　　语

2.1.1　雾滴直径D_V是一种以喷雾液体的体积来表示雾滴大小的方法。例如，$D_{V0.99}$表示喷雾液体总体积中，1%是由直径大于该数值的雾滴，99%是由直径小于或等于该数值的雾滴组成。

本条定义参照了美国NFPA 750《细水雾灭火系统标准》(2010版)和欧盟CEN/TS 14972《固定灭火系统—细水雾灭火系统设计安装标准》(2008版)的相关定义，但对水雾雾滴大小的规定不同。NFPA 750和CEN/TS 14972分别要求$D_{V0.99}$或$D_{V0.90}$小于1000μm。NFPA750虽然是细水雾灭火系统标准，但在其附录解释中指出"包括用于NFPA15《固定式水雾灭火系统标准》中的一些水喷雾，或高压下由标准喷头操作产生的一些水喷雾，以及适合于温室雾化和HVAC(供热、通风和空调系统)湿度系统的轻水雾"，这个范围较广泛，包含了现行国家标准《水喷雾灭火系统技术规范》GB 50219规定的部分水雾。

此外，根据国家固定灭火系统和耐火构件质量监督检验中心针对水喷雾喷头以及细水雾喷头的大量雾滴直径测试数据，细水雾喷头喷出的水雾，其$D_{V0.5}$一般在50μm～200μm，$D_{V0.99}$一般均小于400μm。而水雾喷头喷出的水雾，其$D_{V0.5}$多介于200μm～400μm，$D_{V0.99}$一般小于800μm。按照$D_{V0.99}$小于1000μm的要求，则上述规定的一些水喷雾范围内的水雾也会划入细水雾范畴。这不利于区别细水雾灭火系统和水喷雾灭火系统的工程应用。为此，为严格区分水喷雾与细水雾，本规范将细水雾的雾滴直径限定为$D_{V0.5}$小于200μm且$D_{V0.99}$小于400μm。

2.1.2　细水雾灭火系统的主要组成部分包括加压供水设备、供水管网、细水雾喷头和相关控制装置等。

2.1.3 本条参照现行国家标准《气体灭火系统设计规范》GB 50370中“防护区”的定义，即能满足全淹没灭火系统要求的有限封闭空间。与气体灭火系统相比，细水雾灭火系统对保护空间的密闭程度要求不很严格，可用于封闭或部分封闭的空间。NFPA 750也有类似的定义。

2.1.4、2.1.5 细水雾灭火系统按供水方式(主要是按照驱动源类型)可以划分为泵组、瓶组式及其他形式，目前主要有泵组和瓶组式两种形式的产品。泵组系统采用柱塞泵、高压离心泵或气动泵等泵组作为系统的驱动源，而瓶组系统采用储气容器和储水容器，分别储存高压氮气和水，系统启动后释放出高压气体来驱动水形成细水雾。

2.1.6～2.1.9 细水雾喷头可分为开式喷头和闭式喷头。闭式喷头是以其感温元件作为启动部件的细水雾喷头。开式喷头是以火灾探测器作为启动信号的开放式细水雾喷头。细水雾灭火系统根据其采用的细水雾喷头形式，可以分为开式系统和闭式系统。开式系统由火灾自动报警系统控制，自动开启分区控制阀和启动水泵后，向开式细水雾喷头供水。闭式系统，除预作用系统外，不需要火灾自动报警装置联动。

开式系统按照系统的应用方式，可以分为全淹没应用和局部应用两种方式。采用全淹没应用方式时，微小的雾滴粒径以及较高的喷放压力使得细水雾雾滴能像气体一样具有一定的流动性和弥散性，充满整个空间，并对防护区内的所有保护对象实施保护。局部应用方式是针对防护区内某一部分保护对象，如油浸变压器、燃气轮机的轴承等，直接喷放细水雾实施灭火。开式系统示意图(以泵组系统为例)，见图1。

闭式系统可分为湿式系统和预作用系统，其定义与现行国家标准《自动喷水灭火系统设计规范》GB 50084 的规定相一致。本规范主要对湿式系统进行了规定，系统的示意图，见图2。

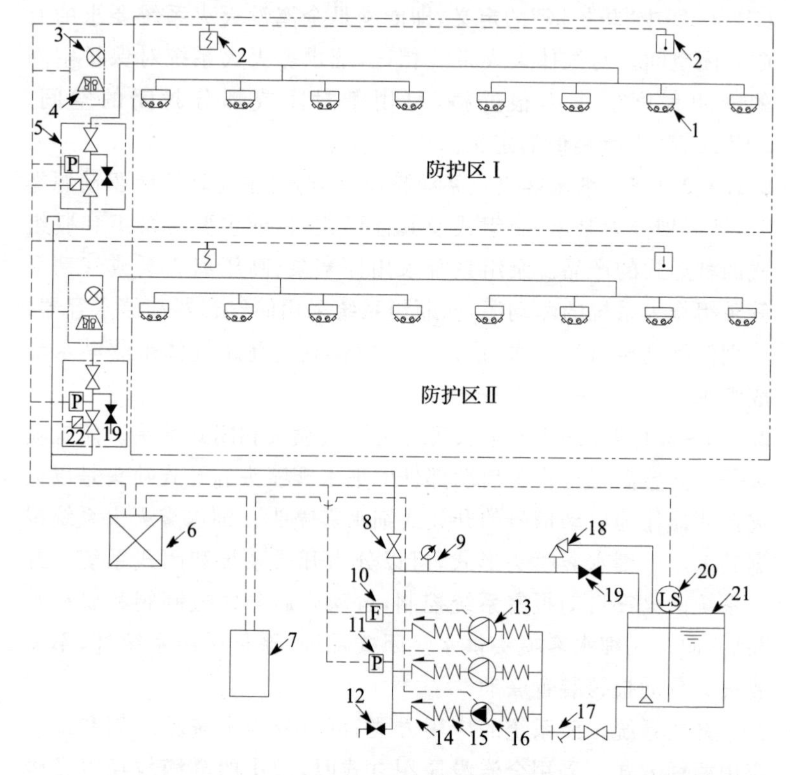

图1 开式系统示意

1—开式细水雾喷头；2—火灾探测器；3—喷雾指示灯；4—火灾声光报警器；
5—分区控制阀组；6—火灾报警控制器；7—消防泵控制柜；8—控制阀(常开)；
9—压力表；10—水流传感器；11—压力开关；12—泄水阀(常闭)；
13—消防泵；14—止回阀；15—柔性接头；16—稳压泵；17—过滤器；
18—安全阀；19—泄放试验阀；20—液位传感器；21—储水箱；
22—分区控制阀(电磁/气动/电动阀)

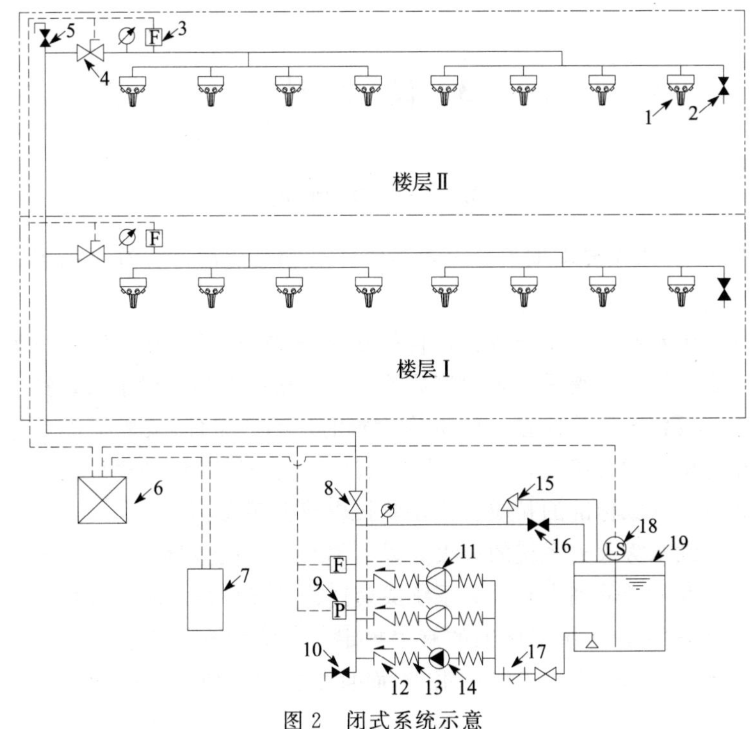

图 2　闭式系统示意

1—闭式细水雾喷头；2—末端试水阀；3—水流传感器；
4—分区控制阀（常开，反馈阀门开启信号）；5—排气阀（常闭）；
6—火灾报警控制器；7—消防泵控制柜；8—控制阀（常开）；
9—压力开关；10—泄水阀（常闭）；11—消防泵；12—止回阀；
13—柔性接头；14—稳压泵；15—安全阀；16—泄放试验阀；
17—过滤器；18—液位传感器；19—储水箱

2.1.10　本条定义了细水雾灭火系统的响应时间，该时间对有效扑救初起火灾具有重要意义，是系统的重要设计参数。

3 设　　计

3.1 一般规定

3.1.1 本条要求细水雾灭火系统产品和组成部件应符合国家标准。

细水雾灭火系统及其部件属于消防专用产品，质量把关至关重要。设计不得采用未检测或检测不合格的产品。对于需要经过国家授权的质量监督检验机构检验的产品或组件，需要提供通过相应检验的合格报告；如不需要认证的产品或组件，则要提供证明其符合国家标准的相应合格检验报告或证明书。

细水雾灭火系统的灭火效果离不开火灾试验验证。规范要求供货商生产的细水雾灭火系统成套产品的技术性能应符合相关产品、试验方法等国家标准的有关规定。供货商不仅要提供细水雾灭火装置的灭火试验测试报告，而且要提供相应产品的设计性能参数。

3.1.2 本条规定了细水雾灭火系统在设计时需要考虑的主要因素。

火灾危险性与可燃物的数量、种类、位置及分布、受遮挡的情况以及空间特性和火灾蔓延扩大的可能性等因素有关。

保护对象的环境条件，主要指保护对象周围的通风或对流情况、环境温度、腐蚀度、洁净度等。

喷头的喷雾特性，主要是指喷头的雾滴直径、流量系数、雾化角、雾动量等。

3.1.3 本条规定了不同应用场所的系统选型原则。

在系统选型时，主要考虑可燃物种类、数量、摆放位置及抑制或扑灭防火的设计目标等因素。闭式系统主要用于控制火灾，保护以可燃固体火灾为主的对象，且主要用于扑救可燃固体表面的火灾。开式系统既可用于抑制火灾，也可用于扑灭火灾，可用于保护多种类型火灾的对象。

3.1.4 泵组系统种类繁多，应用范围广，可以持续灭火，适合长时间、持续工作的场所，尤其是涉及人员保护或防护冷却的场所。

由于瓶组系统储水量小，难以保证持续供水，容易导致灭火失败，故防护区内设置闭式系统时，不应采用瓶组系统。

3.1.5 为了保证开式系统采用全淹没应用方式时，系统喷放细水雾后具有良好的窒息效果，当系统启动时，要避免因空间的开口而导致细水雾流失，减少环境对流的影响。对于不能关闭的开口，要考虑在其开口处增设局部应用喷头等补偿或等效分隔措施。

3.1.6 细水雾雾滴粒径小，流动性及弥散性良好，容易受风的影响。采用局部应用方式的系统保护的对象通常为某一较大空间内的某一设备或局部空间，周围空间不受系统保护，因此，灭火时细水雾受环境对流气流的影响较大，需要结合试验情况限制环境风速，以保证系统的灭火效果。

3.2 喷头选择与布置

3.2.1 本条规定了细水雾喷头的选择原则。

系统设置在含粉尘或含油类物质等的场所时，容易造成喷头堵塞，在这些场所要考虑防尘、防油脂等防护措施，这些措施在火灾时不能影响细水雾喷头的正常工作。

闭式系统选择快速响应型喷头能提高系统控制初起火灾的能力。

3.2.2、3.2.3 规定了细水雾灭火系统喷头布置的基本要求。

细水雾喷头一般按矩形布置，也有按其他形式布置的。对于开式系统，其基本要求是要能将细水雾均匀分布并充填防护空间，完全遮蔽保护对象。对于闭式系统，喷头的覆盖面应无空白。

闭式细水雾喷头的感温元件是热敏玻璃球等，在喷头布置时需要考虑其集热效果，喷头感温元件与顶板的距离，要能使系统喷头及时开放。

位于细水雾喷头附近的遮挡物有可能对喷头喷雾效果产生不利影响，如阻止喷雾顺利到达或完全包络保护对象等，设计时要避开遮挡物体，或采取局部加强保护措施。

对于电缆隧道等狭长防护区域，可以采用线形方式布置喷头，一般将喷头布置在隧道的过道上方。无论何种方式，均需保证细水雾能够完全充满所防护的电缆隧道空间。

3.2.4 本条规定了系统采用局部应用方式时，喷头布置的基本要求。

开式系统采用局部应用方式保护时，由于产品不同且保护对象各异，其喷头布置没有固定方式，需要结合保护对象的几何形状进行设计，以保证细水雾能完全包络或覆盖保护对象或部位。细水雾喷头与保护对象间要求有最小距离的限值，以实现细水雾喷头在这个距离的良好雾化。细水雾喷头与保护对象间也要求有最大距离的限值，以保证喷雾具有足够的冲量，并到达保护对象表面。

细水雾灭火系统用于保护油浸变压器，是开式系统局部应用方式的典型应用。本条给出了更具体的喷头布置要求，但仍需要以火灾试验为依据。

3.2.5 本条参照NFPA 750（见表1），规定了细水雾喷头、管道与电气设备带电（裸露）部分的最小安全净距。

表1 喷头与无绝缘带电设备的最小距离

额定电压(kV)	最高电压(kV)	设计基本绝缘电压(kV)	最小距离(mm)
≤13.8	14.5	110	178
23	24.3	150	254
34.5	36.5	200	330
46	48.5	250	432
69	72.5	350	635
115	121	550	1067
138	145	650	1270

续表 1

额定电压(kV)	最高电压(kV)	设计基本绝缘电压(kV)	最小距离(mm)
161	169	750	1473
230	242	900	1930
		1050	2134
345	362	1050	2134
		1300	2642
500	550	1500	3150
		1800	3658
765	800	2050	4242

表 1 中未列入的设计基本绝缘电压，其对应的间距数值可以采用插入法计算确定。

表 1 中系统设置在海拔在 1000m 以上的地区时，海拔每升高 100m，表中的数值需要增加 1%。

3.2.6 本条要求细水雾灭火系统设置备用喷头。

设计细水雾灭火系统时，要求在设计资料中提出备用喷头的数量，以便在系统投入使用后，因火灾或其他原因损伤喷头时能够及时更换，缩短系统恢复戒备状态的时间。当在设计中采用了不同型号的喷头时，除了对备用喷头总数的要求外，不同型号的喷头也要有各自的备品。

3.3 系统组件和管道及其布置

3.3.1 本条规定了细水雾灭火系统主要组件的设置位置，以避免外力破坏，确保各组件能正常发挥作用。

另外，细水雾灭火系统由于喷头孔径小，当管道设备、阀组等锈蚀时，很容易造成喷头堵塞。同时，细水雾喷头本身也需要有良好的耐腐蚀性能，以防止喷头锈蚀影响其雾滴直径、雾化角、流量特性等，进而影响其灭火效能。为此，规定系统组件要选用防锈材质或采取防腐蚀措施。

3.3.2 本条规定了开式系统分区控制阀和泄放试验阀的设置要求。

开式系统的分区控制阀平时保持关闭，火灾时能够接收控制信号自动开启，使细水雾向对应的防护区或保护对象喷放。开式系统的分区控制阀可选用电磁阀、电动阀、气动阀、雨淋阀等自动控制阀组，有些厂家称为选择阀、分配阀，本规范统一称作分区控制阀。

开式系统的泄放试验阀与闭式系统的试水阀相对应，但不仅用于试水（冷喷试验），也具有阀门检修时的泄放功能。在开式系统每个分区控制阀上，建议尽量留出出口以连接泄放试验阀，或在控制阀后的管道上选择低点位置设置泄放试验阀。泄放试验阀出口需要设置可接泄水口和可接试水喷头的接口。

3.3.3 本条规定了闭式系统分区控制阀的设置要求。

闭式系统的分区控制阀平时保持开启，主要用于切断管网的供水水源，以便系统排空、检修管网及更换喷头等。闭式系统的分区控制阀要求采用具有明显启闭标志的阀门或专用于消防的信号阀。使用信号阀时，其开启状态要能够反馈到消防控制室；使用普通阀门时，须用锁具锁定阀板位置，防止误操作，造成配水管道断水。

3.3.4 本条规定了开式系统及闭式系统分区控制阀的共同设置要求。

分区控制阀多设置在防护区外，一般采用集中或分散设置两种方式。开式系统采用局部应用方式时，分区控制阀可设置在保护对象附近不受火灾影响且便于操作处。

规范要求分区控制阀后的主管道上设置压力开关等信号反馈装置，是为了反馈系统是否喷放细水雾的信号，并不是用于启动水泵。当系统选择雨淋阀组等本身带有压力开关的阀组作为分区控制阀时，不需增设压力开关。

3.3.5 本条规定了闭式系统中排气阀和试水阀的设置要求。

闭式系统的排气阀要求设置在所属区段管道的最高点，在系统管网充满水形成准工作状态时使用，为了可靠，多采用手动排气阀。

闭式系统的试水阀要求设置在管网末端，其口径和管网末端口径相等。

3.3.7 本条规定了细水雾灭火系统中泄水阀的设置要求。

泄水阀的设置位置要视系统管网的布置情况而定，在系统管网最低点处需要设置泄水总阀。对于泵组系统，管网最低点一般在水泵出口处。若系统管网最低点不止一处，则还要根据管网情况设置多个泄水阀。

3.3.9 本条规定了系统管道支、吊架的设置位置、间距及承重要求，以保证细水雾灭火系统的管道安装牢固，不产生径向晃动和轴向窜动。表中规定的数值参考了 NFPA 750 的相关规定，见表 2。

表 2 管道吊架最大间距(NFPA750)

管道外径(mm)	6～14	15～22	23～28	30～38	40～49	50～59	60～70	71～89	90～108
吊架的最大间距(m)	1.21	1.52	1.82	2.12	2.42	3.00	3.33	3.64	3.94

当系统工作压力较高时，系统管道固定需要采取防晃措施。防晃支架的设置可参照现行国家标准《气体灭火系统施工及验收规范》GB 50263 的相关规定。

3.3.10 本条规定了系统管道的材质要求，为强制性条文。

符合要求的管道材质是确保系统正常工作的必要保证，细水雾喷头喷孔较小，为防止喷头堵塞，影响灭火效果，需要采用能防止管道锈蚀、不利于微生物滋生的管材。同时，细水雾灭火系统的工作压力高，对管道的承压能力要求高。因此，细水雾灭火系统管道材质的选择与自动喷水灭火系统、水喷雾灭火系统等有所区别。

无论欧盟标准 CEN/TS 14972，还是美国消防协会标准 NFPA 750，都强调细水雾灭火系统管道的耐腐蚀性能，并规定首选不锈钢管道。本规范参考国际标准的相关规定，综合考虑管道的防腐、承压等相关要求并兼顾经济性，规定细水雾灭火系统的管道材质采用冷拔法制造的奥氏体不锈钢管。当采用其他管材时，需要证实其耐火、耐腐蚀性能、耐压性能不低于本条规定的相应奥氏体不锈钢钢管的性能。

当系统的工作压力较高时，要提高管道的耐腐蚀性能和承压能力的要求。鉴于现有多种规格的奥氏体不锈钢管，为便于选择并确保质量，本条结合现行国家标准《不锈钢和耐热钢牌号及化学成分》GB/T 20878 确定了管材的具体牌号。本条规定的牌号为 022Cr17Ni12Mo2 的奥氏体不锈钢，对应的统一数字代号为 S31603，即原 316L。S31603 号不锈钢的含碳量小于 0.030%，并且含有 2%～3%的钼元素，与 S30408 和 S30403 号不锈钢（即原 304 和 304L）相比，提高了对还原性盐、无机酸和有机酸、碱类的耐腐蚀性能和抗应力腐蚀性能；与 S31608 号不锈钢（即原 316）相比，具有更好的加工性能。

管道壁厚需要根据系统的设计工作压力选取，管道的规格和壁厚等要符合相应国家标准的要求，不锈钢无缝管的规格可参考表 3 进行选择。表 3 摘录自现行国家标准《无缝钢管尺寸、外形、重量及允许偏差》GB/T 17395。

表 3　不锈钢无缝管常用规格

<table>
<tr><th colspan="2">管道外径</th><th colspan="2">管道壁厚</th></tr>
<tr><th>外径(mm)</th><th>精确度</th><th>壁厚(mm)</th><th>精确度</th></tr>
<tr><td>12</td><td rowspan="5">±0.2</td><td>1.0/1.2/1.5</td><td>+12.5%
−10%</td></tr>
<tr><td>16</td><td>1.0/1.5/2.0</td><td rowspan="11">±10%</td></tr>
<tr><td>20</td><td>1.0/1.5/2.0/2.5</td></tr>
<tr><td>24</td><td>1.5/2.0/2.5</td></tr>
<tr><td>27</td><td>1.5/2.0/2.5/3.0</td></tr>
<tr><td>32</td><td rowspan="3">±0.3</td><td>2.0/2.5/3.0</td></tr>
<tr><td>40</td><td>3.0/3.5/4.0</td></tr>
<tr><td>48</td><td>3.5/4.0/5.0</td></tr>
<tr><td>60</td><td rowspan="4">±0.8%D
(D 为公称外径)</td><td>4.0/5.0</td></tr>
<tr><td>76</td><td>4.0/5.0/5.5</td></tr>
<tr><td>89</td><td>5.0/5.5/6.0</td></tr>
<tr><td>102</td><td>6.0/6.0/8.0</td></tr>
</table>

3.3.11 本条规定了细水雾灭火系统管道的连接方式。

焊接时强调采用氩弧焊工艺，以尽量减少焊接时因高温造成管道内的氧化。管件材质要求与管道相同，以保证管件的耐腐蚀性，不与管道发生电化学腐蚀。

3.3.12 本条规定了细水雾灭火系统各组件的压力要求。

条文中的“工作压力”，是指系统在正常工作条件下，分配管网中流动介质的压力。系统的最大工作压力，对于瓶组系统，是指储气容器充装氮气后，在最高工作温度下，储气容器的压力或减压装置的出口压力；对于泵组系统，是指水泵在额定流量条件下的最大输出压力。

3.3.13 本条为强制性条文。本规范规定的细水雾灭火系统在喷放细水雾时，流体在管道内的压力和流速均较高，容易导致管网产生静电。本条规定主要为防止这些静电在管网中积聚产生火花而引发爆炸危险。

3.4 设计参数与水力计算

Ⅰ 设计参数

3.4.2 本条规定了闭式系统的设计参数选择要求。

由于细水雾产品多种多样，影响细水雾灭火效果的因素众多、关系复杂，细水雾灭火系统的研究、设计和应用一直建立在实体火灾试验或实体火灾模拟试验的基础上。NFPA 750 及 CEN/TS 14972 中都没有规定具体参数，而是要求进行相关的火灾试验确定。因此，本规范在编制时，经多次讨论，确定以实体火灾模拟试验的结果作为系统参数设计的依据。这一规定要求制造商提供与实际应用场景相适应的细水雾灭火系统应用参数。否则，要按照本规范附录 A 的要求经实体火灾模拟试验确定。

同时，考虑我国实际情况，为便于设计，在参考国内、外主要细水雾灭火系统生成商的相关试验结果和技术资料的基础上，规范组归纳总结出一些典型的系统设计参数值列于表 3.4.2。细水雾灭火系统的特点和灭火机理，决定了其灭火效果与喷雾强度、雾滴动量、空间高度等参数有关。例如，同一细水雾灭火系统，如安装高度不同，其灭火效果可能会有很大差异。因此，表 3.4.2 中同时规定了在一定喷头设计工作压力范围内的系统喷雾强度、布置间距和安装高度等参数。

尽管本规范表 3.4.2 中列出了部分典型场所在一定应用条件下的设计参数取值，但由于影响细水雾灭火效果的因素较多，不同制造商生产的产品性能差异较大，设计人员在设计时，还应根据制造商提供的细水雾灭火系统性能参数确定。但是，当制造商提供的参数取值小于本规范要求时，要按规范的取值确定。

同时，由于能采用归纳法总结出来的参数有限，不能涵盖细水雾灭火系统的全部应用情况，当系统的实际设计和应用情况不符合表 3.4.2 的规定时，要进行实体火灾模拟试验并以试验结果为基础进行设计。为保证试验的客观公正和数据的可靠性，实体火灾模拟试验要由权威机构结合工程的实际情况，按照本附录第 A.1节的要求进行。

3.4.3 本条规定了闭式系统的作用面积。该规定参考了 NFPA 750“对于轻危险的公共空间和住宿空间，系统作用面积应是最大水力要求的覆盖区域，最大面积为 $140m^2$”的规定。作用面积的提法与现行国家标准《自动喷水灭火系统设计规范》GB 50084的相关术语保持一致。

3.4.4 本条规定了开式系统采用全淹没应用方式时的设计参数选择要求。

本条规定与国际标准和本规范第 3.4.2 条对于闭式系统的规定原则一致，要求系统的设计参数以实体火灾试验的结果为基础，具体问题具体分析。对于开式系统采用全淹没应用方式，当用于保护电缆隧道电缆夹层、电子信息系统机房的地板夹层空间及存在可燃液体火灾危险的设备室时，有关实体火灾模拟试验可以参考本附录第 A.2～A.5 节的规定进行；当用于保护文物库、图书库、资料库、档案库、配电房或电子信息系统机房主机工作间等场所时，要由有关火灾试验的权威机构结合实际工程的具体情况，按照本附录第 A.1 节的原则要求设计试验方案和进行模拟试验。

表 3.4.4 规定了部分典型应用场所在一定应用条件下的喷雾强度等设计参数。表中规定的喷雾强度值，是细水雾喷头在相应的最低设计工作压力、最大安装高度和相应布置间距时的最小喷雾强度。设计人员在选用本规范表 3.4.2 给出的设计参数时，需要同时参考制造商提供的细水雾灭火系统性能参数。当制造商提供的参数取值小于本规范要求时，要按规范的取值确定。

3.4.5 本条规定了开式系统采用全淹没应用方式时，可保护的防护区最多数量和单个防护区的最大容积。参考国际海事组织(IMO)等国际权威机构的试验结果，对于泵组系统，目前采用全淹没应用方式进行实体火灾模拟试验的防护区体积基本不超过 $3000m^3$。超过该体积时，系统的灭火有效性需要进一步试验验证。瓶组系统由于其持续供水能力有限，因此要求单个防护区的最大容积小于采用泵组系统保护时的容积。对单个防护区的容积进行限定也考虑到防护区容积过大时，采用全淹没应用方式不够经济。

采用开式系统全淹没应用方式保护的单个防护区，当容积过大时，可将其分成若干个小于 $3000m^3$ 或更小的防护区后按照第 3.4.4 条的要求进行设计，也可以根据实际工程情况参考表 3.4.4 确定设计参数。当这些防护区的火灾危险性相同或相近，可以按照其中最大一个防护区的要求设计。

3.4.6 本条规定了开式系统采用局部应用方式时的设计参数选择。

对于开式系统，当火灾可能发生在某一设备或设备的某一个或几个部位的危险场所，可采用局部应用方式。局部应用方式多用于保护室内油浸变压器、柴油发电机和燃油锅炉等设备。局部应用方式的喷头布置与保护对象关系密切，布置形式较复杂，系统喷雾强度的试验值差别也较大，不易统一。所以，开式系统采用局部应用方式保护存在可燃液体火灾的场所时，系统的设计参数以产品检测时测定的“局部应用细水雾灭火系统B类火灭火试验”数据为依据，但不能超出所测定的参数值。

3.4.7 本条规定了开式系统采用局部应用方式时的保护面积计算方法。

开式系统采用局部应用方式保护特定对象时，向其表面直接喷雾，并使足够的细水雾覆盖或包络保护对象，是保证灭火效果的关键。一般，是将保护对象的外表面面积确定为设计的保护面积，但对于外形不规则的保护对象，则较复杂。本条规定的设计保护面积计算方法，参考了现行国家标准《水喷雾灭火系统技术规范》GB 50219的要求。

3.4.8 本条规定了开式系统的设计响应时间，以确保系统有效扑救初起火灾。同时，本规范还对一个防护区内使用多套预制瓶组系统的应用作了限制。

3.4.9 细水雾灭火系统的设计喷雾时间，是保证系统能否灭火并防止其复燃的重要参数，本条规定为强制性条文。该时间是在实体火灾模拟试验的实际灭火时间基础上，考虑安全系数确定的，也参考了国外相关标准规范的要求。

对于用于扑救厨房内烹饪设备及其排烟罩和排烟管道部位火灾的系统，其设计喷雾时间要求参考了中国工程建设标准化协会标准《厨房设备灭火装置技术规程》CECS 233的规定。

3.4.10 本条规定了本规范第3.4.2、3.4.4条和3.4.5条中有关系统实体火灾模拟试验的原则要求，主要规定了实体火灾模拟试验的实施机构、具体试验方案及试验结果的工程应用要求等。只有满足这些规定，实体火灾模拟试验的结果才可以作为确定系统设计参数的依据。

附录A规定了细水雾灭火系统实体火灾模拟试验的火灾模型、试验的引燃方式和预燃时间等的要求，并规定了液压站、润滑油站、柴油发电机房、燃油锅炉房、涡轮机房等存在可燃液体火灾危险的场所，电缆隧道、电缆夹层、电子信息系统机房的地板夹层空间等场所的试验方法、试验程序及试验结果判定等，包括试验空间、设备模型、模拟火源。对于用于保护图书库、资料库、档案库或电子信息系统机房主机工作间、文物库、配电室等场所的细水雾灭火系统，目前尚无统一的试验方法。细水雾灭火系统用于保护这些场所时，需要由有关火灾试验的机构结合工程的实际情况，按照本规范第 A.1 节的要求确定火灾模型，并进行模拟试验。

Ⅱ 水力计算

3.4.11、3.4.12 规范要求细水雾灭火系统采用 Darcy－Weisbach（达西-魏茨）公式进行管道水头损失计算。当系统管径大于 20mm 且流速小于 7.6m/s 时，管道水头损失可以采用 Hazen－Williams（海澄-威廉）公式计算。与海澄-威廉公式相比，达西-魏茨公式考虑了水头损失受管道的粗糙度、管道内流体的密度、动力黏度、流速等因素影响的问题，较复杂，但更精确。

3.4.13 本条规定了系统管件及阀门局部水头损失的计算方法。

区别于将沿程水头损失乘以系数作为局部水头损失的方法，当量长度计算方法较为精确，在欧美等国普遍采用。各种阀门、管接件、过滤器的等效当量长度由制造商提供。表 4 是摘录自 NFPA 750有关铜连接件和阀的等效当量长度数据。

表 4 铜管管件及阀门的当量长度（m）

标准尺寸（mm）	管件				管接头	阀门			
	标准弯管		三通			球阀	闸阀	蝶阀	止回阀
	90°	45°	旁通	直通					
9.53	0.15		0.46						0.46
12.7	0.31	0.15	0.61						0.61
15.88	0.46	0.15	0.61						0.76
19.05	0.61	0.15	0.91						0.91
25.4	0.76	0.31	1.37			0.15			1.37
31.75	0.91	0.31	1.68	0.15	0.15	0.15			1.68

续表 4

标准尺寸 (mm)	管件				管接头	阀门			
	标准弯管		三通			球阀	闸阀	蝶阀	止回阀
	90°	45°	旁通	直通					
38.1	1.22	0.46	2.13	0.15	0.15	0.15			1.98
50.8	1.68	0.61	2.74	0.15	0.15	0.15	0.15	2.29	2.74
63.5	2.13	0.76	3.66	0.15	0.15		0.31	3.05	3.51
76.2	2.74	1.07	4.57	0.31	0.31		0.46	4.72	4.42
88.9	2.74	1.07	4.27	0.31	0.31		0.61		3.81
101.6	3.81	1.52	6.40	0.31	0.31		0.61	4.88	5.64

表 4 中所列的当量长度是以 K 型铜管为基准的数据，是基于 Hazen－Williams(海澄-威廉)公式中 C 值取 150 确定的。对于 C 值取 100、120、130 和 140 的情况，需将表中数值分别乘以 0.472、0.662、0.767 和 0.880 的换算系数。对于流线型的焊接连接件需要考虑一定的裕量。

3.4.17、3.4.18 规定了细水雾灭火系统的设计流量计算方法。系统的设计流量应从最不利点喷头开始，按沿程同时动作的每个细水雾喷头的实际工作压力逐个计算各喷头的流量，然后累计同时动作的喷头流量计算确定。

第 3.4.18 条规定了累积同时动作的喷头数，即公式(3.4.17)中的计算喷头数 n。“当防护区间无耐火构件分隔且相邻时”，多数对应的是本规范第 3.4.5 条规定的、因单个防护区容积较大而分成多个较小防护区的情况。此时，为避免因着火点在划分的防护区交界处等，导致仅单个防护区内喷头开启而无法控制火势蔓延的情况，除要求着火的防护区的喷头喷放细水雾外，相邻两个防护区的喷头也要能够同时喷放细水雾。

3.4.20 本条规定了计算细水雾灭火系统储水箱或储水容器容量的方法。

系统储水箱的容量要按储水箱的有效容积确定，即储水箱溢流口以下且不包括水箱底部无法取水的部分。对于泵组系统，无论外部水源能否在系统动作时保证可靠连续补水，其储水箱均需储存系统设计的全部灭火用水量。

3.5 供　　水

3.5.1 本条为强制性条文。本条规定了系统水质的相关要求。

要保证系统中形成细水雾的部件正常工作，水源的水质是关键。系统对水质的要求较高，也是细水雾灭火系统与自动喷水灭火系统、水喷雾灭火系统等的重要区别之一。

对于泵组系统，其供水的水质要符合制造商的技术要求和现行国家标准《生活饮用水卫生标准》GB 5749 的有关规定，以限制水中的固体悬浮物（TTS）、浊度及自由氯离子（或氯原子）的含量，防止造成细水雾喷头的喷孔堵塞或系统管道腐蚀。对于补水水源的水质，也需要满足这些要求。

对于瓶组系统，制造商对其供水的水质一般都有自己的要求，由于更换储水容器内的水相对较困难，对水质的要求更严格。

对于可能带电并需要及时恢复工作的保护对象，系统用水要尽量采用电导率更低的蒸馏水或去离子水。

3.5.2 本条规定了瓶组系统供水装置的相关要求。

瓶组系统的供水装置主要包括储气瓶组和储水瓶组。储气瓶组包括储存的气体及储气容器、分区控制阀（容器阀）、安全泄放装置、压力显示装置等。储水瓶组包括储存的水及储水容器、安全泄放装置、瓶接头及虹吸管等。储气容器上要求有可靠的压力显示装置，以显示充压或复充气体的容器压力。

由于细水雾灭火系统的工作压力高，要求在储气容器和储水容器上设置安全泄压装置，以防止这些压力容器发生事故，造成人员伤害和财产损失。

对于使用多个储水容器或储气容器的系统，要求同一集流管下所有容器的型号、充装量和充装压力均保持一致，以确保灭火效果，便于维护、检修、管理。

3.5.3 本条参考NFPA 750和现行国家标准《气体灭火系统设计规范》GB 50370的相关规定，规定了瓶组系统的备用量设置要求。

3.5.4 本条规定了对泵组系统供水装置的相关要求。

对于储水箱，要求储水箱的材质具备耐腐蚀性能，以保证水质。由于细水雾喷头的过水孔径细小，任何微小的固体颗粒都有可能堵塞喷头，因此储水箱还需要采取防尘、避光等防止水质腐败、藻类滋生的措施。储水箱至少需要具备一条自动补水管，以确保水箱的设计水位不会因蒸发等原因而降低，且在灭火时能自动补水。储水箱设置的液位显示装置，包括就地指示和远传指示。

水泵的启动方式包括自动、手动两种。自动启动是指利用压力开关连锁或接收火灾报警控制器的信号，自动启动水泵。手动启动是指在泵房现场，人工启动控制柜的按钮，启动水泵。水泵一旦启动，不应该自动停止，而要由具有管理权限的工作人员确定后再关停。

为确保系统供水的可靠性，需要对水泵进行定期人工巡检或自动巡检。巡检时，要做到使水泵定期运转，并能实现主备用泵切换，反映消防泵运行的完整工况。当巡检中遇到火灾信号时，能立即自动退出巡检，进入灭火运行状态。巡检后，需要记录巡检情况并定期检查。

规范要求水泵控制柜的防护等级不低于IP54，以确保控制柜的防尘、防水性能，减少出现误动作和故障的概率。

3.5.5 本条规定了泵组系统水泵的设置要求。

系统的工作泵及稳压泵均需要设置备用泵，备用泵的流量和压力等要求与最大一台工作泵相同。在一组水泵的出水总管上要求设置泄放试验阀，以便巡检和检修水泵，测试后的水和泄流的水要采取措施尽量回流至储水箱。在水泵的出水总管上设置安全阀，以承受水泵所产生的压力波动，防止其超过系统的工作压力范围。

3.5.8 泵组系统需要有能不间断自动补水的可靠水源，水源的总量、水质均能够满足设计要求。当泵组系统补水水源的水质或水量不能满足设计要求时，要设置储水箱来储存系统所需消防用水量。细水雾灭火系统的水质要求高，泵组系统的储水箱要能避免与其他灭火系统的消防水箱合用。

3.5.9 本条规定了细水雾灭火系统过滤器的设置要求。过滤器是细水雾灭火系统的关键部件之一，安装过滤器可以防止水中杂质损坏设备和堵塞喷头，由于喷头一般均自带过滤网，因此，首先要在供水水源和供水管网上设置过滤器进行初级过滤。对于预制系统，可根据该系统本身的要求设置过滤器。

3.5.10 本条规定了细水雾灭火系统过滤器的材质和网孔大小要求，为强制性条文。

过滤器本身应具备耐腐蚀性能，以保证水质，避免堵塞细水雾喷头。系统的过滤器要选择不锈钢或铜合金等耐腐蚀性能较好的材质。当采用其他材质时，需要有足够材料能证明其耐腐蚀性能不低于系统允许采用的不锈钢或铜合金的耐腐蚀性能。

系统中设置的过滤器滤网，网孔太大会造成喷头堵塞，太小则影响系统流量，为此本规范规定过滤器网孔不大于喷头流水通径的 80%，同时设置过滤器时要考虑其摩擦阻力对系统供水能力的影响。对于安装在储水箱入口的过滤器，要满足系统补水时间和通过流量的要求；对于储水箱出口及控制阀前设置的过滤器，要满足系统正常工作时的压力和流量要求。

3.6 控　　制

3.6.1 本条规定了瓶组系统和泵组系统的基本启动方式。

3.6.2 本条规定了细水雾灭火系统采用自动控制方式时的要求。

开式系统为了减少火灾探测器误报引起的误动作，要求设置两路独立回路的火灾探测器以确认火灾的真实性。“接到两个独立的火灾信号后才能启动”，是指只有当两种不同类型或两独立回路中同一类型的火灾探测器均检测出防护场所的火灾信号时，才能发出启动灭火系统的指令。

对于闭式系统，当发生火灾时，由闭式喷头上的感温元件自动接受火灾温度和触发喷头动作，继而使压力开关动作，自动启动水泵（含稳压泵）。

3.6.3 本条规定了对细水雾灭火系统手动控制方式的要求。

系统的手动控制方式，包括控制中心远程控制和防护区就地控制，其设置位置要避免受火灾或环境的危害或易导致误动作，且便于操作。在消防控制室和防护区入口处设置该手动操作装置，可以方便发生火灾时快速启动系统。

3.6.4 本条规定了细水雾灭火系统的手动启动装置和机械应急操作装置的设置要求。

为了快速启动灭火系统，要求以一个控制动作就能使整个系统启动。为防止手动或机械应急操作的误操作，所有手动启动和机械应急操作装置的外观要有明显的区别标识，便于辨认，且在相应的手动操作装置上要设置与被防护场所一一对应的标识和文字说明。特别是多个防护区的应急手动操作装置集中布置在一起时，更要标识明确，以保证能快捷、准确操作启动系统。

同时规范要求设置有细水雾灭火系统的场所，在显著位置设置标识系统的操作流程图或操作指示说明。在系统的每个操作位置处清楚标明操作要求与方法，利于保证操作的准确性，特别是在系统紧急启动时便于识别，不致混乱，以免操作失误。

3.6.6 本条规定了开式系统分区控制阀的设置要求。

分区控制阀的自动操作方式可采用电动、液动或气动方式。手动操作方式为防护区外（或保护对象附近）的手动按钮启动和消防控制室手动远控。

规范要求分区控制阀能够接收由火灾报警控制器发出的控制信号，启动阀组，并将阀门的启闭状态及故障情况以信号方式反馈，以保证分区控制阀安全、可靠地启动，实现对保护对象的及时供水。在分区控制阀上或其后的主管道上或分区控制阀附近的其他明显位置，要求设置对应防护区或保护对象的永久性标识并标明水流方向，以防止操作时出现差错。

3.6.7 本条规定了细水雾灭火系统报警控制器的功能要求，包括控制和监视功能。

要求报警控制器能够在接收到火灾报警信号后动作，启动水泵、瓶组或控制阀。为了防止由于维护不当或误操作等原因导致系统灭火失败，火灾报警控制器还要能够监视系统主要部件的状态，以利于操作人员确认火灾和火灾部位，对系统工作是否可靠做出正确判断，并便于手动遥控。

3.6.8 可靠的动力保障也是保证系统可靠供水的重要措施。细水雾灭火系统的电源要求采用消防电源，并符合现行国家标准《供配电系统设计规范》GB 50052 的要求。

4 施　　工

4.1 一 般 规 定

4.1.1 细水雾灭火系统是建筑工程消防设施中的一个分部工程，划分子分部工程和分项工程，能方便安装过程检查和验收。

4.1.2 本条根据《建设工程质量管理条例》，并结合现行国家标准《建筑工程施工质量验收统一标准》GB 50300，要求安装企业抓好对项目质量的管理，并对安装实行全过程质量控制。

4.1.4 本条规定了细水雾灭火系统工程安装质量控制的基本要求。规范要求对材料及系统组件进场验收，对包括隐蔽工程验收在内的设备安装各工序进行检查，特别强调了工序检查和工种交接，同时提出了检查组织和记录要求。另外，系统的调试检查也属于质量控制范畴，在本规范第4.1.7条里单独列出。

4.2 进 场 检 验

4.2.1 细水雾灭火系统的进场检验包括材料进场检验和系统组件进场检验。进场检验是安装过程检查的一部分，也是质量控制的内容，检验结果要按本规范表D.0.1填写记录。在细水雾灭火系统验收时，该记录作为质量控制核查资料之一，须提供给验收单位审查并存档。

4.2.2 本条规定了材料进场验收的基本要求。进场材料要具备质量有效证明文件，提供相应规格管材的质量合格证、性能及材质检验报告，管件制造单位出具的合格证、检验报告，包括材质和水压强度试验等内容。

4.2.3 本条规定了材料进场时，保证管网的耐压强度、严密性能和耐腐蚀性能所必需的外观质量检查要求。

4.2.5 本条规定了系统组件进场验收的基本要求和外观质量检查要求及方法。

系统的关键组件合格与否，直接影响系统的功能和使用效果，因此，进场时对系统组件一定要检查市场准入制度要求的有效证明文件和产品出厂合格证，看其规格、型号、性能是否符合国家现行产品标准和设计要求。

细水雾灭火系统的各种组件，在从制造厂运至安装现场过程中，要经过装车、运输、卸车和搬运、储存等环节，存在因意外原因对组件造成损伤或锈蚀的可能。为了保证安装质量，需要按照规范的规定对这些组件进行外观检查。其中铭牌及其内容是由生产厂封贴标注的，它真实地反映了产品的规格、型号、生产日期、主要物理参数等，是安装单位和消防监督机构进行核查、用户进行日常维护检查的依据，要求清晰、明白。

4.2.8 本条规定了对储气瓶组阀驱动装置的要求，瓶组系统的储气瓶组的容器阀可通过气动型驱动装置、电磁型驱动装置和机械型驱动装置控制。

4.3 安　　装

4.3.1 本条规定了细水雾灭火系统进行安装前应具备的条件。系统安装前，设计单位要向安装单位进行技术交底，使安装单位明确了解设计意图，尤其是关键部位及安装难度较大的部位，交代清楚隐蔽工程及安装程序、技术要求、做法、检查标准等，以保证正确安装。

第1、2款规定了进行系统安装前应具备的技术资料。其中，施工图和设计说明书是细水雾灭火系统安装的技术依据，它确定了灭火系统的基本设计参数、设计依据、设备材料以及对安装要求与注意事项等，是系统安装前必备的资料。系统及其主要组件的使用、维护说明书是制造商根据其产品的特点和规格型号，技术性能参数编制的供设计、安装和维护人员使用的技术说明与要求，主要包括产品的结构、技术参数、安装的特殊要求、维护方法与要求。这些资料不仅可帮助设计单位正确选型,便于消防监督机构审核、检查安装质量,而且是安装单位把握设备特点,正确安装所必需的。

第3～6款进一步规定了进行系统安装应具备的其他条件。安装前要求对系统组件、管材及管件的规格、型号数量等进行查验,保证其符合设计要求。防护区或保护对象及设备间的设置条件主要指防护区的位置、大小、封闭和开口情况,围护构件的耐火、耐压性能,门窗的设置情况,设备间的大小与位置、承重性能以及防护区、设备间的环境温度等,这些是细水雾灭火系统能否可靠运行并在火灾时能否保证灭火的关键因素,在安装前需检查是否与设计相符。土建施工中为灭火系统设置的预埋件与预留孔洞,是根据设计图纸为固定管道和方便管道穿越建筑构件而设置的,如与设计不符,势必增加安装困难,影响进度和质量。因此,在系统的组件、管道安装前,需要检查基础、预埋件和预留孔是否符合设计要求。水电条件是顺利安装的前提保证,需要满足安装现场的使用要求。

4.3.3 本条规定了储水瓶组、储气瓶组的安装要求。

由于瓶组系统启动灭火时,其储存的驱动气体压力较高,释放时间很短,因而瓶组在释放驱动气体时会受到冲击而发生振动、摇晃等,因此,在安装时需要将储存容器用耐久的支架固定牢靠。瓶组系统中的储存容器及其他设备一经验收合格投入使用,就需长期经历所处环境条件影响,需要对固定支架进行防腐处理。瓶组容器上安装的压力表,要求朝向操作面,便于读取数据。

4.3.4 本条规定了水泵的安装要求。

水泵吸水管安装若有倒坡现象,会产生气囊。采用大小头与水泵吸水口连接时,采用偏心异径管且要求吸水管的上部保持平接,使异径管的大小头上部不会存留从水中析出的气体,可以避免倒坡现象,防止产生气囊影响水泵正常工作。

4.3.7 本条规定了系统管道安装的要求。

管道是细水雾灭火系统的重要组成部分，管道安装也是整个系统安装工程中工作量最大、较容易出问题的环节，返修困难。因而在管道安装时，要采取行之有效的技术措施，依据管道的材质和工作压力等自身特性，严格按照现行国家标准《工业金属管道工程施工规范》GB 50235 和《现场设备、工业管道焊接工程施工规范》GB 50236 的相关规定进行。

由于细水雾灭火系统喷头孔径小、易堵塞，所以对系统管道的清洁程度要求较高，为此，规范要求管道安装前进行分段清洗，同时保证在管道安装过程中内部清洁。NFPA750 中也有类似规定。

为防止在使用中系统管道因建筑物结构的变化而遭到破坏，方便检修，本规范要求管道穿过墙体、楼板处使用套管。管道与套管间的空隙要进行防火封堵，以防止火灾时火势沿管道空隙处蔓延，封堵材料为柔性不燃材料或耐火材料，如砂浆、硅酸铝纤维、岩棉、防火泥等。

4.3.8 本条规定了系统管道冲洗的要求。

为了避免喷头堵塞，细水雾灭火系统对管道内的洁净度要求较高。不仅管道安装前，管道内部要冲洗干净，在管道安装完毕之后还要进行冲洗并填写管道冲洗记录。冲洗水的水质要满足系统对其用水的水质要求，即符合本规范第 3.5.1 条的规定。进行管道冲洗时，由于冲洗水流速度较高，对管路改变方向、引出分支管部位或管道末端等处，将会产生较大的推力，若支、吊架固定不牢，会使管道产生较大的位移、变形，甚至断裂。所以，系统管道冲洗前应检查支、吊架的牢固性。

4.3.9 本条规定了细水雾灭火系统水压试验的要求。

细水雾灭火系统管道安装完毕并冲洗合格后，需要进行水压试验，以检查管道系统及其各连接部位的工程质量。水压试验用水的水质要满足系统正常工作的要求。参照现行国家标准《工业金属管道工程施工规范》GB 50235 的要求，奥氏体不锈钢管道或对连有奥氏体不锈钢管道或设备的管道进行试验时，水中氯离子含量不得超过 25×10^{-6}(25ppm)。

测试点选在系统管网的低点，可客观地验证其承压能力；若设在系统管网的高点，则无形中提高了试验压力值，这样往往会使系统管网局部受损，造成试压失败。

本条主要依据 NFPA 750 的规定，提出了对水压强度试验的试验压力值和稳压时间的要求，此外，还考虑与现行国家标准《细水雾灭火系统及部件通用技术条件》GB/T 26785 有关管路强度要求的协调性，并参考了现行国家标准《工业金属管道工程施工规范》GB 50235 及《气体灭火系统施工及验收规范》GB 50263 的相关规定。

规范规定水压试验的检查判定方法采用目测，该方法简单易行，也是国家其他现行规范常用的方法。水压试验合格后，需要填写试验记录。

4.3.10 本条规定了细水雾灭火系统吹扫的要求。

系统管道水压强度试验合格后，对管道进行吹扫，主要为清除管道内的铁锈、灰尘、水渍等脏物，保证管道内部的清洁，避免管道内因为残存水渍而导致生锈。管道吹扫的具体要求参考了现行国家标准《工业金属管道工程施工规范》GB 50235 的相关规定。

4.3.11 本条规定了细水雾喷头安装的要求。

安装中，管道冲洗不净等情况会造成异物堵塞细水雾喷头，影响喷头喷雾灭火效果。为此，要求在管网试压、冲洗合格后安装喷头。

喷头是细水雾灭火系统的重要组件，它的形式多种多样。安装时，需对其生产厂标志、型号规格、喷孔方向等逐个核对，以防弄错，影响喷雾效果；避免随意拆装、改动；保证其安装高度、间距、与障碍物距离等符合设计要求，以确保喷头实现其设计要求的保护功能；带有过滤网的喷头安装在出口三通时，要避免将喷头的过滤网伸入支干管内，以保证水流在管接件部位正确分流。

安装喷头需要使用厂家提供的专用扳手等工具，以免在安装过程中对喷头造成损伤。

4.4 调 试

4.4.1 本条规定了细水雾灭火系统调试前的准备工作要求。

与系统有关的火灾自动报警系统及其他联动装置是否合格，是细水雾灭火系统能否正常运行的重要条件。细水雾灭火系统绝大部分采用火灾自动报警、自动灭火的形式，因此需要先把火灾自动报警和联动控制设备调试合格，才能与细水雾灭火系统进行联锁试验，以验证系统的可靠性和系统各部分是否协调。与系统有关的火灾自动报警装置的调试，要求按照现行国家标准《火灾自动报警系统施工及验收规范》GB 50166 的有关规定执行。其他联动装置，包括防护区内可燃气体或液体供给的设备和设施、开口自动关闭装置等。

系统调试时，电源或备用动力的供应要满足设计要求，运转正常并采取可靠措施，确保人身和财产安全。

系统的各项调试按照本节规定的检查方法进行，需要配置相关的仪器设备，并在调试前，将需要临时安装在系统上经校验合格的仪器、仪表安装完毕，如压力表、流量计等；调试时所需的检验设备要准备齐全，如秒表、量筒等。

4.4.4 本条根据稳压泵的基本功能，规定了稳压泵调试的要求。稳压泵的功能是使系统能保持准工作状态时的正常水压，这一功能要求稳压泵能够随着系统压力变化而自动开启或停止运行。

4.4.5 本条分别规定了开式系统、闭式系统分区控制阀调试的要求，以验证是否能实现其功能。

对于开式系统，分区控制阀的功能包括了启动细水雾灭火系统和选择防护区，能够接收由火灾报警控制器发出的控制信号启动阀组，并能够将阀门的启闭状态及故障情况以信号方式反馈给消防控制室。对于闭式系统，要求系统按楼层或防火分区设置分区控制阀，具有启闭信号反馈功能，阀门平时处于常开位置。

4.4.6～4.4.9 这四条规定了系统联动试验的要求，包括控制阀和泵组(或瓶组)的启动及信号反馈要求，系统动作信号反馈要求以及火灾自动报警系统、燃气供给系统等与系统相关的联动装置的联动试验要求。通过上述试验，以验证系统的灵敏度与可靠性是否达到设计要求。

4.4.10 系统的调试属于施工过程检查的一部分，也是质量控制的内容，调试合格后，应按本规范表 D.0.6 记录。调试后需要进行吹扫，以防止设备和管道的腐蚀。

5 验　　收

5.0.1　系统工程验收合格后，应提供竣工验收文件资料和系统工程验收记录，以便建立建设项目档案，向建设单位移交。其中，竣工验收文件资料包括施工现场质量管理检查记录、系统安装过程检查记录、隐蔽工程验收记录、系统质量控制资料核查记录及其他相关文件、资料清单等。

5.0.2　本条规定了系统竣工验收时应提供的技术资料。这些资料是从工程开始到系统调试，安装全过程质量控制等各个重要环节的文字记录，也是验收时质量控制资料核查的内容。这些资料在系统投入使用后需要存档，并由专人负责维护管理。

5.0.3～5.0.8　这六条规定了系统安装质量验收的内容和要求，包括对供水水源、泵组、储气瓶组和储水瓶组、控制阀、管网和喷头等主要组件的安装质量验收，以保证其符合设计和规范要求。

5.0.9、5.0.10　规定了系统功能验收的内容和要求。细水雾灭火系统的功能验收是整个系统验收的核心，是通过对全系统进行实测来验证系统各部分功能是否达到设计要求，为以后系统的正常运行提供可靠保障。

5.0.11　为满足消防监督、工程质量验收的需要，本条规定了系统质量验收的判定条件。

本规范依据对细水雾灭火系统的主要功能影响程度，把工程中不符合相关标准规定的项目划分为严重缺陷项、一般缺陷项和轻度缺陷项三类。根据各类缺陷项的数量，对系统主要功能的影响程度，结合国内细水雾灭火系统安装的实际情况等因素，经综合考虑确定了相关工程合格判定条件。该条规定参考了公安部《建筑工程消防验收评定暂行办法》的相关要求。

6 维护管理

6.0.1 本条规定了细水雾灭火系统维护管理的要求。

严格的管理、精心的维护,能够保证细水雾灭火系统平时处于良好的运行状态,进而才能在火灾时发挥正常的灭火、控火作用。系统的维护管理应有章可循。细水雾灭火系统的管理者,需根据本规范和制造商的要求,结合细水雾灭火系统的自身特点和所保护场所或对象的特性,制定细水雾灭火系统的维护管理制度和具体操作规程。

6.0.2 本条规定了细水雾灭火系统维护管理人员的要求。

细水雾灭火系统管路承压高、水质要求高、系统组成部件较多且较复杂,需要维护管理人员具备较高的素质,熟悉系统的操作维护方法,因此,系统维护管理人员需经过一定的培训。

6.0.4 为了防止细水雾灭火系统在停用、维修过程中发生火灾,造成安全事故,系统因故障停用、维修前须向消防安全责任人报告,并有应急措施,在维修完毕后立即将系统恢复至准工作状态。

6.0.5 当设置细水雾灭火系统的建筑变更用途,或建筑内可燃物的种类、燃烧特性或分布形式发生改变,或者发生其他可能影响系统正常使用的情况时,应校核原有系统的适用性,当不适用时,要根据改造后建筑的条件按本规范重新设计。

6.0.6 细水雾灭火系统维护检查中发现问题,需要针对具体问题按照规定要求及时处理,例如更换喷头、支、吊架、阀门密封件,润滑控制阀门杆、清理过滤器等。

6.0.7 本条规定了细水雾灭火系统日检的内容及要求。

火灾时,细水雾灭火系统能够及时发挥应有作用和其每个部件是否处于正确状态有关。其中,造成系统失效的典型情况多为系统供电中断、阀门未处在正确的启闭位置、报警信号故障未能及时反映火情等。因此，要求维护管理人员每天进行检查，排除上述问题。

系统应确保消防储水设备的任何部位在寒冷季节均不得结冰，以保证灭火时用水，因此要求维护管理人员每天应进行储水设备房间温度检查。

对系统的使用说明等各种标识进行每日检查，主要确认标识是否处于正确位置，内容是否正确、清晰、完整。

6.0.8 本条规定了细水雾灭火系统月检的内容及要求。

为保证系统启动的可靠性，要求每月对开式系统进行分区控制阀动作试验，对闭式系统利用试水阀进行动作试验，消防储备水应保证充足、可靠，应有平时不被它用的措施。

系统组件的外观检查，包括喷头外观、喷头的防护罩以及阀门的铅封、锁链完好情况等。

6.0.9 本条规定了细水雾灭火系统季检的内容及要求。

水泵是供给系统消防用水的关键设备，必须定期进行试运转，保证发生火灾时水泵启动灵活、电源或内燃机驱动正常，自动启动或电源切换及时无故障。瓶组系统要求检查控制阀的动作情况，以保证系统管路的畅通。考虑到细水雾灭火系统工作压力较高，还要求定期检查管道及管件的稳固情况。

6.0.10 本条规定了细水雾灭火系统年检的内容及要求。

由于市政建设的发展、建筑物的增加、用水量变化等对水源的供水能力会产生影响，系统每年要定期对水源的供水能力进行测定，检查水源的水量水压能否符合设计要求，达不到要求时，需要及时采取补救措施。

为保证系统供水管路的畅通，防止储水箱或储水容器内储存的水因长期不动用而滋生细菌等影响水质，系统每年要对管道管件进行全面检查，保证控制阀后管路的干净，并清洗储水箱过滤器，定期换水。考虑到本规范第 3.5.1 条对系统水质的不同要求，规定泵组系统储水箱换水周期为半年，瓶组系统储水容器的换水周期按照制造商的要求确定。

为了验证系统的正常动作运行能力，要求系统每年按照本规范第 5.0.9 条的规定进行系统模拟灭火功能试验。

附录A 细水雾灭火系统的实体火灾模拟试验

A.1 基本要求

A.1.1 本条规定了系统实体火灾模拟试验火灾模型设置的基本原则。

火灾模型的设置是进行实体火灾模拟试验的重要步骤。试验研究表明，细水雾灭火系统的灭火性能与保护对象特性、保护空间及应用环境条件等有直接的关系。同时，细水雾灭火系统的构成、管网布置或其设计参数的改变，均会影响系统的灭火性能。所以，细水雾灭火系统的火灾模型设置时需要考虑相关条件和参数，以确保火灾模型与实际应用条件相同或类似，保证试验结果在实际工程应用中的重现性和可靠性。

1 试验燃料应与实际应用中的可燃物相同或类似，需要考虑的因素主要有：可燃物的类型（如液体、固体燃烧物或两种的组合），可燃物的燃烧特性（如闪点、可燃性），可燃物的尺寸或热释放速率（如油盘尺寸、燃料的数量、喷雾火的热释放率等），可燃物的布置方式和位置（如水平或垂直油喷雾、燃烧物距地面的距离等）。

2 空间的几何特征，主要为空间的体积、高度、形状等。

3 试验空间的通风等环境条件，包括通风形式（如自然通风、强制通风），通风口或允许开口的面积和位置，通风量或风速等。

4 系统的应用方式，主要指系统选型（如开式系统全淹没应用方式、开式系统局部应用方式等），细水雾喷头的安装条件（如安装高度、安装间距、与保护对象的距离、与侧墙的距离、与吊顶的距离、安装角度等），细水雾喷头的设计工作压力、系统的喷雾时间等。

A.1.2 实体火灾模拟试验的引燃方式和预燃时间，要考虑火灾热释放速率、火灾蔓延情况、烟气发展情况等火灾发展特性，并结合实际保护对象的特性来确定。

A.2 容积不大于260m³的设备室

A.2.1 本条规定了细水雾灭火系统保护容积小于或等于260m³的设备室时，其试验空间的模拟设置要求，主要参考了FM 5560的相关规定。“设备室”指具有可燃液体火灾特性的液压站、润滑油站、柴油发电机房、燃油锅炉房和涡轮机房等场所。

A.2.2 本条规定了容积不大于260m³的设备室内机械设备的模拟设置要求。当细水雾灭火系统应用于液压站、润滑油站、柴油发电机房、燃油锅炉房等场所时，可作为参考。

A.2.5 本条对试验过程中试验空间内的氧气浓度提出要求，主要是为排除因为试验空间内火灾负荷较大，燃料燃烧氧气不足而导致自熄的可能，以确保细水雾系统灭火的有效性。对于喷雾火，氧浓度的测试点一般可设置在与燃料喷嘴喷雾方向相反，距喷嘴50mm处；对于油盘火，测试点可设置在远离油盘但与其高度相同的位置。

A.2.7 本条要求对于容积大于130m³的设备室进行小空间内的遮挡喷雾火试验。试验中，可以通过平行移动原试验空间的隔板(作为墙体)，或是在原试验空间内再设置一道隔板等方式来分隔出小试验空间。

A.2.8 要求试验灭火后仍有剩余燃料，是为了确保试验火灾非燃料控制型火灾，即火灾不是因燃料不足而自行熄灭。

A.2.11 与其他设备室相比，涡轮机房在进行模拟灭火试验之外，增加了喷雾冷却试验要求。这是由于细水雾用于保护涡轮机时，其冷却过程必须均匀缓慢，以避免骤然冷却导致涡轮机轴瓦报废。

在进行喷雾冷却试验时，推荐采用1MW的喷雾火，燃料可采用正庚烷。在进行试验时，用喷雾火加热热轧钢板，要求当3个热电偶的温度均超过 300℃时关闭喷雾火，冷却钢板，当 3 个热电偶中温度最高的那个也降至 300℃时，开启系统进行喷雾冷却。试验对涡轮机模型加热的均匀性要求较高。在加热过程中，若 3 个热电偶读数间的差异超过 10℃，需要调整喷雾火，重新加热。为了达到均匀加热的效果，必要时可以采用丙烷燃烧器，需要将其均匀布置在热轧钢板下方进行加热。

A.3 容积大于 260m³的设备室

A.3.1、A.3.2 规定了细水雾灭火系统保护容积大于 260m³的设备室时，其试验空间和设备模型的模拟设置要求。这些规定主要参考了 FM 5560 的相关规定，用于具有可燃液体火灾特性的液压站、润滑油站、柴油发电机房、燃油锅炉房和涡轮机房等场所。

A.3.4 本条规定了模拟火源的布置要求。一共需要完成 8 个试验，其中第 1 款包含两个试验，分别采用低压 6MW 喷雾火和高压 2MW 喷雾火。第 4 款和第 5 款中规定的 0.1m²和 1.0m²油盘火，位置略有不同。虽然二者均置于钢板围挡上并位于挡板的下方，但其沿设备模型长边方向的位置，1.0m²油盘位于设备模型长边中心的位置（即距长边边缘 1.4m），0.1m²油盘距其长边边缘 10cm。

A.4 电缆隧道和电缆夹层

A.4.1 本条参考了 CEN/TS 14972 规定了细水雾灭火系统保护电缆隧道时试验空间的模拟设置要求。系统应用于电缆夹层、电缆竖井、电气地下室等电缆场所时的实体火灾灭火试验，可根据实际情况，参照本规范的规定进行。

A.4.2 本条规定了试验的电缆布置要求。火灾荷载包括不同规格的电缆。当实际应用情况下电缆荷载超过试验规定时，可依据实际情况增大荷载，但不同规格电缆的配比还按本规范规定执行。更多层数电缆托架的试验及电缆布置，可按照申请者的要求进行。

A.4.5 本条规定了试验程序及试验结果判定。其中，对于系统灭火的判定，需要无可见明火，也无阴燃火。

通过本节试验的细水雾灭火系统，可应用于电缆层数少于试验层数，电缆的燃烧性能比试验电缆差，风速小于试验风速，隧道高度小于试验隧道高度，隧道宽度小于试验隧道宽度，电缆支架宽度小于试验中宽度或相邻两层电缆支架的高度大于试验中高度的电缆隧(廊)道。

A.5 电子信息系统机房的地板夹层空间

A.5.1 本条规定了细水雾灭火系统用于保护电子信息系统机房地板电缆夹层或类似空间时，其试验空间的模拟设置要求，主要参考了 FM 5560 的相关规定。

A.5.2 本条规定了对试验模拟火源的要求。一般情况下，采用正庚烷罐火时，设置的挡板高度要求与模拟地板夹层空间高度一致，宽度要求为与其平行的墙面宽度的1/5。图 A.5.2-1 中给出了典型应用场所的挡板设置尺寸。挡板的设置是为了使其遮挡下的油罐火免受细水雾的直接冲击。试验时，可依据这一原则，对挡板位置及其尺寸进行适当调整，还可按照实际应用情况的不同，增设挡板。

A.5.4 与实际情况相比，要求模拟火源的预燃时间比实际火灾探测时间长，主要是模拟延迟报警的不利条件。